LES TRÉSORS DE LA SAGESSE

DE KHALIL GIBRAN

Oeuvres publiées dans la même collection:

1- LES MIROIRS DE L'ÂME	$7.95
2- LES TRÉSORS DE LA SAGESSE	$7.95

À paraître

3- L'ENVOL DE L'ESPRIT
4- LES AILES BRISÉES
5- LA VOIX DU MAÎTRE
6- PENSÉES ET MÉDITATION
7- AUTO PORTRAIT DE KHALIL GIBRAN
8- LES SECRETS DU COEUR

LES TRÉSORS DE LA SAGESSE

DE KHALIL GIBRAN

INTRODUCTION
Joseph Sheban

Publié sous la direction de
André dib Sherfan

PRESSES SÉLECT LTÉE,
1555 Ouest rue de Louvain,
Montréal, P.Q.
H4N 1G6

Dépôt légal :
Bibliothèque Nationale du Québec
Bibliothèque Nationale du Canada
Deuxième trimestre 1980

Titre original : A Third Treasury of Kahlil Gibran
Book Two : The Wisdom of Kahlil Gibran

Published by arrangement with Lyle Stuart

ISBN : 2-89132-232-0
G 1149

À mes enfants,
Jeneen, George et Faram,
je dédie ce livre.

Joseph SHEBAN

Note de l'éditeur

Tous les extraits présentés dans cet ouvrage sont tirés de textes écrits originellement en langues arabe ou anglaise. Pour cette raison, le lecteur trouvera à la fin de chaque extrait un numéro qui le réfère au titre de l'ouvrage publié en langue anglaise, contenu dans la bibliographie à la fin du livre.

Introduction

Khalil Gibran, dont les livres ont été des best sellers internationaux pendant plus de cinquante ans, est né à l'ombre des cèdres sacrés du Liban. Alors qu'il était encore enfant, sa famille émigra vers les États-Unis. Après qu'il eût passé quelques années dans les écoles de Boston, sa famille le renvoya au Liban pour qu'il poursuive son instruction dans un collège de Beyrouth. Plus tard, il fut envoyé à Paris pour y parfaire son éducation. Après quoi, Gibran revint aux États-Unis où il se consacra à la peinture en même temps qu'il y écrivait ses premiers textes arabes. Au cours de sa première exposition d'art à Boston, il rencontra Miss Mary Haskell qui finança ses études artistiques à Paris.

Grâce à son éducation et à ses antécédents cosmopolites, Gibran se mit à étudier le Moyen-Orient, l'Europe et l'Amérique, et il devint leur interprète. Ainsi, à travers lui, l'Orient et l'Occident se rencontrèrent en plein accomplissement. À ses lecteurs arabes, il apporta la simplicité de l'expression anglaise, une liberté de pensée toute fraîche et une totale franchise dans l'exigence des réformes. Pour le monde arabe, son style et ses conceptions étaient révolutionnaires. À ses lecteurs anglais, il apporta la poésie, les traditions familiales, la sagacité et la philosophie du Moyen-Orient : le grand souffle du Christianisme, de l'Islam et du Judaïsme, ainsi que leurs racines profondes.

Les chants de Khalil Gibran furent autant de chants de la Terre ; adorant ses semblables, il leur apportait la torche d'une liberté destinée à tous les peuples :

« *Je t'aime, mon frère !* » écrivait-il, « *où que tu sois, que tu t'agenouilles dans une église, que tu adores Dieu dans ta synagogue ou que tu pries dans ta mosquée* ».

Les essais, les poèmes et les récits de Gibran sont émaillés de pointes de sagesse. C'est pourquoi son écriture, quoique simple, est unique et universelle. Dans les pages de ce livre, nous avons rassemblé une collection de ces précieuses pensées qui reflètent sa philosophie et son expression originale. Par exemple, à propos de l'amour, il écrivait :

« *Le premier baiser est le commencement du Chant de la Vie. C'est un mot prononcé par quatre lèvres qui proclament que le cœur est un trône et l'amour un roi. C'est une première fleur au sommet de la branche de l'arbre de la vie.* »

Parlant du gouvernement, il proclamait, bien avant que John F. Kennedy ne répète ses paroles : « *Ne demandez pas ce que votre pays peut faire pour vous, mais demandez-vous ce que vous pouvez faire pour votre pays.* »

À propos des tyrans, il écrivait : « *Vous pouvez me lier les mains, vous pouvez m'entraver les pieds ; vous pouvez même me jeter dans une sombre prison ; mais vous n'asservirez pas mes pensées car elles sont libres.* »

Au Liban, alors qu'il était encore jeune, il tomba amoureux d'une belle fille, mais ses parents refusèrent leur consentement au mariage à cause de la pauvreté de Khalil. Plus tard, il en vint à aimer une autre femme à travers les lettres qu'ils échangèrent, mais il était trop pauvre et trop malade pour entreprendre le voyage du Liban afin de l'épouser. Il est paradoxal de penser qu'il perdit les deux grands amours de sa vie à cause de sa pauvreté, alors que ses livres ont rapporté plus de deux millions de dollars de droits d'auteur.

Gibran passa toute sa vie d'homme mûr dans un petit studio de New York, au quatrième sans ascenseur, mais il rêva toujours de regagner les magnifiques montagnes du Liban, cette patrie de son cœur qu'il décrivait ainsi :

« *Pour les poètes occidentaux, le Liban est un pays imaginaire dont l'existence réelle s'est évanouie avec la mort de David, de Salomon et des Prophètes, comme le Jardin d'Éden a disparu avec la chute d'Adam et Ève. Le Liban est une expression poétique et pas seulement le nom d'une montagne.* »

Il écrivait aussi :

« *Le Printemps est beau partout, mais il est bien plus que cela au Liban. Le Printemps est l'esprit d'un Dieu inconnu qui se hâte à travers le monde mais qui s'arrête lorsqu'il atteint le Liban parce qu'il y retrouve les âmes des poètes et des Rois qui hantent le pays, qui chantent avec les sources de Judée les Psaumes éternels de Salomon et qui, avec les Cèdres du Liban, raniment les souvenirs des gloires anciennes.* »

Aujourd'hui, la dépouille de Gibran repose dans son pays natal et son âme, comme le Printemps libanais, hante les lieux et chante, selon ses propres termes :

« *La rivière poursuit sa course vers la mer, sans se soucier de savoir si la roue du moulin est brisée ou non.* »

Joseph SHEBAN

ACTION

Une connaissance limitée qui *agit* vaut infiniment mieux qu'un grand savoir paresseux. (13)

La conviction est une chose précieuse, mais mettre ses croyances à exécution est une épreuve de force. Nombreux sont ceux qui parlent comme le grondement de la mer, mais leurs vies sont stagnantes et sans profondeur, comme un marais pourrissant. Nombreux sont ceux qui lèvent la tête au-dessus du sommet des montagnes, mais leur esprit continue à dormir dans l'obscurité des cavernes. (7)

ACCUSATION

J'échangerais volontiers mes clameurs contre un rire joyeux, j'aimerais prononcer des éloges plutôt que des accusations, et remplacer les excès par la modération si l'on pouvait me montrer un gouvernement juste, un avocat intègre, une personnalité religieuse qui pratique ce qu'elle prêche, un mari qui regarde sa femme avec les yeux dont il se contemple lui-même. (13)

ADOLESCENCE

On dit que l'ingénuité vide un homme de sa substance et que ce vide le rend insouciant. Peut-être est-ce vrai chez ceux qui sont mort-nés et qui n'existent que comme des cadavres frigorifiés. Mais le garçon sensible qui a beaucoup de sentiment et peu de connaissances est l'être le plus infortuné de la terre, car il est déchiré par deux forces. La première l'élève et lui montre la beauté de l'existence à travers un nuage de rêves ; la seconde l'enchaîne à la Terre, lui emplit les yeux de poussière et l'écrase sous les craintes et sous l'obscurité. (1)

ADORATION

Dieu n'aime pas être adoré par un ignorant qui imite quelqu'un d'autre. (9)

AFFECTION

Les affections du cœur se divisent comme les branches du cèdre ; si l'arbre perd une grosse branche, il souffrira, mais il n'en mourra pas. Il insufflera toute sa vitalité à la branche voisine qui grandira pour remplir la place vide. (1)

AFFINITÉS SPIRITUELLES

Il est faux de croire que l'amour naît d'une longue camaraderie ou d'une cour assidue. L'amour est le rejeton des affinités spirituelles, et si celles-ci ne se manifestent pas sur l'heure, ni les ans ni les générations ne les feront naître. (1)

ÂGE

Demandez conseil aux gens âgés, car leurs yeux ont regardé en face le visage des années, et leurs oreilles ont écouté les voix de la Vie. Même si leurs conseils vous déplaisent, prêtez-y attention. (13)

AILES

Dieu vous a donné un esprit avec des ailes pour vous permettre de planer dans le vaste firmament de l'Amour et de la Liberté. N'est-il pas regrettable de vous voir couper ces ailes de vos propres mains et accepter que votre âme rampe sur le sol comme un insecte? (13)

AMABILITÉ

Du cœur d'une femme sensible jaillit la joie de l'humanité et de l'amabilité de son noble esprit naît l'affection du genre humain. (9)

L'amabilité des gens n'est qu'une
Coquille vide qui ne contient ni
[joyau ni
Précieuses perles. Les gens vivent avec

Deux cœurs : un petit pour la profonde
Douceur, l'autre d'acier. Et trop
[souvent,
L'amabilité est un bouclier, et la
[générosité
Un glaive. (10)

AMBITION

Dites-moi, je vous prie, ce qu'il y a
[de bien
À jouer des coudes dans la foule
[de la vie
Au milieu du tumulte des arguments,
Des protestations et des luttes
[incessantes ?
À creuser comme une taupe dans
[l'obscurité,
À vouloir saisir le fil de l'araignée,
À se gonfler sans cesse d'ambition
Jusqu'à ce que les vivants rejoignent
[les morts ? (3)

ÂME

La raison de l'existence de l'âme
Est enfouie dans l'âme elle-même.
Aucun tableau n'en peut montrer
[l'essence
Ni mettre au jour son identité. (3)

L'âme ne peut rien voir dans la vie que ce qui est en elle-même. Elle ne croit en rien que dans sa propre essence, et lorsqu'elle expérimente quelque chose, le résultat devient une part d'elle-même. (8)

AMÉRICAINS

Les Américains sont un peuple puissant. Ils n'abandonnent jamais, ne sont jamais fatigués et ne dorment ni ne rêvent. Lorsqu'ils haïssent quelqu'un, ils peuvent le tuer négligemment, et s'ils aiment ou adorent quelqu'un, ils font pleuvoir sur lui leur affection. (8)

AMITIÉ

Il est aussi fou de donner son amitié à un ignorant que de discuter avec un ivrogne. (13)

AMOUR

Le pouvoir d'aimer
Est le plus grand don de Dieu à l'Homme
Car il ne sera jamais enlevé au
Bienheureux qui aime. (7)
L'amour n'existe que dans l'âme,
Pas dans le corps, et comme le vin,
Il devrait stimuler ce qu'il y a de
[meilleur en nous
Pour accueillir les dons de l'Amour Divin.
[(3)

L'homme ne peut récolter l'amour qu'après une triste et révélatrice séparation, une amère patience et des efforts désespérés. (11)

Hier, je me trouvais à la porte du Temple pour interroger les passants sur le mystère et les mérites de l'Amour. Un vieil homme au visage émacié et mélancolique passa devant moi. Il soupira et dit :

« L'amour est une faiblesse naturelle qui nous a été léguée par le premier homme ».

Mais un viril jeune homme répondit :

« L'amour relie notre présent au passé et au futur ».

Puis vint une femme au visage tragique. Elle soupira et dit :

« L'amour est un poison mortel injecté par de noires vipères sorties des grottes de l'enfer. Ce poison semble frais comme la rosée, et l'âme assoiffée le boit avidement. Mais une fois qu'il est intoxiqué, le buveur tombe malade et meurt d'une mort lente. »

Une belle demoiselle aux joues roses dit en souriant :

« L'amour est un vin servi par les fiancées de l'aube. Il affermit les âmes fortes et leur permet de monter jusqu'aux étoiles. »

Après elle, un homme barbu, vêtu d'une robe noire, dit en fronçant les sourcils :

« L'amour est l'aveugle ignorance dans laquelle la jeunesse commence et se termine ».

Un autre, en souriant, déclara :

« L'amour est une connaissance divine qui permet à l'homme de voir ce que voient les dieux ».

Ensuite, un aveugle, qui cherchait sa route du bout de sa canne, dit :

« L'amour est un brouillard aveuglant qui empêche l'âme de discerner le secret de l'existence, de sorte que le cœur ne voit plus dans les collines que les tremblants fantômes du désir et n'entend plus que les échos des pleurs de muettes vallées ».

Et un faible vieillard, qui traînait les pieds comme deux chiffons, dit d'une voix chevrotante :

« L'amour est le repos du corps dans le calme du tombeau, la tranquillité de l'âme dans les profondeurs de l'Éternité. »

Un enfant de cinq ans vint après lui et dit en riant :

« L'amour, c'est mon père et ma mère, et personne d'autre qu'eux ne le connaît ».

Et ainsi, tous ceux qui passaient évoquaient l'amour comme l'image de leurs espoirs et de leurs frustrations, et le mystère demeurait aussi épais qu'avant. (13)

Ceux que l'amour n'a pas choisis comme disciples ne l'entendent pas lorsqu'il appelle. (1)

L'amour est la seule fleur qui croît et qui fleurit sans l'aide des saisons. (1)

L'amour est la seule liberté qui soit au monde car il élève tellement l'esprit que les lois des hommes et les phénomènes de la nature ne peuvent altérer son cours. (1)

L'amour passe devant nous, habillé de mansuétude. Mais nous le fuyons par crainte, ou nous nous cachons dans l'obscurité. Ou bien nous le poursuivons pour faire le mal en son nom. (13)

L'amour qui naît entre la naïveté et le réveil de la jeunesse se satisfait de la possession et grandit avec les étreintes. Mais l'amour qui est né dans le giron du firmament et qui est descendu avec les secrets de la nuit, ne peut se contenter d'autre chose que d'éternité et d'immortalité. Et il ne se tient avec respect que devant la divinité. (13)

Si l'humanité devait
Conduire la cavalcade de l'amour vers
[un lit
De mobiles perfides, alors l'amour
Refuserait de s'y coucher. L'amour
[est un
Superbe oiseau qui ne demande qu'à
[être pris,
Mais qui refuse d'être blessé. (10)

L'amour,
Lorsqu'on l'a trouvé, est un mal
Entre chair et os,
Et ce n'est qu'une fois la jeunesse enfuie

Que sa douleur apporte une triste
Et riche connaissance. (10)

L'obscurité peut cacher aux regards les arbres et les fleurs, mais elle ne peut dissimuler l'amour à l'âme. (5)

ANCÊTRES

Un homme n'est pas noble à cause de ses ancêtres.

Combien de nobles ne sont-ils pas les descendants de meurtriers ? (4)

ANTROPOMORPHISME

Les montagnes, les arbres et les rivières changent d'aspect avec les vicissitudes du temps et des saisons, comme l'homme change avec ses expériences et ses émotions. Le haut peuplier qui ressemble à une fiancée dans la lumière du jour n'est plus qu'une colonne de fumée dans le soir. L'immense rocher qui, à midi, semble inexpugnable, n'apparaît plus le soir que comme un pauvre misérable, avec la terre comme lit et le ciel pour couverture. Et le ruisseau que nous voyons briller dans le matin, et que nous entendons chanter l'hymne de l'Éternité, se transforme le soir en un flot de larmes, pleurant comme une mère privée de son enfant. (1)

APPARENCES

L'apparence des choses change avec nos émotions. En elles nous voyons la magie et la beauté, alors qu'en réalité, la magie et la beauté sont en nous. (1)

Les desseins de l'esprit
Sont cachés dans le cœur, et on ne peut
En juger par les apparences. (10)

ARGENT

L'argent ! Source de l'amour sans foi ; origine du faux éclat et de la fortune ; puits de l'eau empoisonnée ; désespoir de la vieillesse ! (11)

L'argent est comme un instrument à cordes. Celui qui ne peut s'en servir convenablement n'entendra qu'une musique discordante. L'argent est comme l'amour : il tue lentement et péniblement celui qui le retient, et il réjouit celui qui le distribue à ses semblables. (11)

ART

L'art doit constituer une communication directe entre l'imagination de l'artiste et celle du spectateur. C'est pourquoi j'essaie, dans la mesure du possible, de ne pas distraire l'œil par trop de détails pour permettre à l'imagination du spectateur d'errer dans toutes les directions. Quant aux formes physiques, l'art est forcé de les créer pour s'exprimer. Il faut que les formes soient belles, sans quoi l'art méconnaît son objectif. (2)

Est-ce vraiment Dieu qui a créé l'Homme, ou est-ce l'inverse? L'imagination est le seul créateur, et sa manifestation la plus proche et la plus claire est l'art. Oui, l'art, c'est la vie, et la vie, c'est l'art. En comparaison, tout le reste est vide et futile. (2)

L'Art est un pas qui va du connu visible vers l'inconnu. (4)

ARTISTE

Je serais traître à mon art si j'empruntais les yeux de mon modèle. Le visage est un merveilleux miroir qui reflète très fidèlement le plus profond de l'âme. Le travail de l'artiste, c'est de s'en rendre compte et de le reproduire, sans quoi il ne mériterait pas d'être appelé artiste. (2)

AUTORITÉ

L'égoïsme, mon frère, est la cause de la supériorité aveugle; la supériorité crée l'esprit de clan, l'esprit de clan crée l'autorité qui mène à la discorde et à l'oppression.

L'âme croit au pouvoir de la connaissance et de la justice sur la sombre ignorance. Elle rejette l'autorité qui fournit les glaives destinés à défendre et à renforcer l'ignorance et l'oppression, cette même autorité qui a détruit Babylone, qui a ébranlé les fondations de Jérusalem et qui a laissé Rome en ruine. C'est pour cela que les gens traitent les grands hommes de criminels, que les écrivains respectent leur nom, que les historiens relatent avec éloge les récits de leur inhumanité. (11)

AVIS

Celui qui ne recherche pas l'avis des autres est un fou. Sa folie lui dissimule la Vérité, le rend mauvais et obstiné et en fait un danger pour son prochain. (13)

BAVARDAGES

Je me détourne des gens qui considèrent que l'insolence est de la bravoure et la tendresse de la lâcheté. Et je me détourne de ceux qui croient que les bavardages sont la sagesse et que le silence est ignorance. (4)

BEAUTÉ

La Beauté est ce qui attire votre âme et ce qui aime pour donner et non pour recevoir. Si vous rencontrez la Beauté, vous sentez que les mains qui sont au plus profond de vous se tendent pour l'amener dans le domaine de votre cœur. C'est une magnifique combinaison de tristesse et de joie. C'est l'Invisible que vous voyez, l'Imprécis que vous comprenez, le Muet que vous entendez. C'est le Saint des Saints qui commence en vous et qui finit très loin au-delà de votre imagination terrestre. (11)

Êtes-vous troublé par les nombreux credos que professe l'Humanité? Vous sentez-vous perdu dans la vallée des croyances qui s'affrontent? Pensez-vous que la liberté de l'hérésie est moins lourde à porter que le joug de la soumission et que le droit de n'être pas d'accord est plus sûr que la main-mise de l'acquiescement?

Si tel est le cas, faites de la Beauté votre religion, et adorez-la comme votre divinité, car elle est l'ouvrage parfait, manifeste et visible de Dieu. Rejetez ceux qui ont joué avec la piété comme s'il s'agissait d'un faux-semblant, mêlant l'avidité et l'arrogance. Croyez plutôt en la divinité de la Beauté qui est à la fois le commencement de votre adoration de la Vie et la source de votre faim de bonheur.

Faites pénitence devant la Beauté, et expiez vos péchés, car la Beauté amène votre cœur plus près du trône de la femme qui est le miroir de vos affections et qui enseigne à votre cœur les voies de la Nature, demeure de votre vie. (13)

Seuls nos esprits peuvent comprendre la Beauté, ou vivre et grandir avec elle. Elle intrigue notre âme et nous sommes incapables de la décrire en paroles. C'est une sensation que nos yeux ne peuvent voir, dérivée à la fois de celui qui observe et de celui qu'on regarde. La vraie Beauté est un rayon qui émane du Saint des Saints de l'esprit et qui illumine le corps, de même que la vie vient des profondeurs de la Terre et donne à une fleur sa couleur et son parfum. (1)

La Beauté est cette harmonie entre la joie et la tristesse qui commence dans notre Saint des Saints et finit hors de portée de notre imagination. (2)

La Beauté n'est pas dans le visage.
La Beauté est une lumière dans notre
[cœur. (4)

BERGER

Dans la cité, ce qu'il y a de mieux dans
L'Homme n'est que l'unité du troupeau
[conduit
D'une voix forte par le berger. Et celui
Qui n'obéit pas à ses ordres devra
[bientôt
Affronter ceux qui viennent
[le tuer. (10)

BIEN

Le Bien dans l'homme doit couler
[librement
Car le mal vit au-delà du tombeau;
De ses doigts, le Temps déplace
[un moment
Les Pions, puis brise le Roi et
[le Valet. (3)

BON SENS

Jamais les aigles ne manifestent
[d'étonnement
Ou ne disent: « c'est la merveille
[des temps ».

Car dans la nature, nous, les enfants,
Ne tenons pour étrange que ce qui
[est sensé. (3)

BONTÉ

Ce que je désire, c'est une éternelle faim d'amour et de beauté. Je sais maintenant que ceux qui n'ont que la bonté ne sont rien moins que malheureux, mais pour mon âme, le soupir des amants est plus doux que les sons de la lyre. (10)

BOSTON

Dans le passé, la ville fut appelée la cité de la science et de l'art, mais aujourd'hui, c'est la cité des traditions. Les âmes de ses habitants sont pétrifiées ; même leurs pensées sont vieilles et éculées. Ce qu'il y a d'étrange dans cette ville, c'est que les pétrifiés sont fiers et vantards et que les vieillards usés gardent la tête haute. (8)

BRAVOURE

La bravoure est un volcan ; la semence de l'indécision ne pousse pas dans son cratère. (4)

BRUITS DE LA NATURE

Lorsque les oiseaux chantent, appellent-ils les fleurs dans le champ, parlent-ils aux arbres ou font-ils écho au murmure des ruisseaux ? Car avec son intelligence, l'homme ne peut pas savoir ce que dit l'oiseau, ni ce que murmure le ruisseau, ni ce que chuchotent les vagues lorsqu'elles effleurent lentement et doucement le sable du rivage.

Avec son intelligence, l'homme ne peut savoir ce que dit la pluie lorsqu'elle tombe sur les feuilles des arbres ou lorsqu'elle frappe les vitres. Il ne peut pas savoir ce que dit la brise aux fleurs des champs.

Mais le cœur de l'homme peut sentir et comprendre la signification de ces bruits qui jouent avec ses sentiments. La Sagesse Éternelle lui parle souvent un mystérieux langage. L'Âme et la Nature conversent ensemble, tandis que l'Homme demeure étonné et sans voix.

Et pourtant, l'Homme n'a-t-il pas pleuré en écoutant ces sons ? Et ses larmes ne sont-elles pas une éloquente compréhension ? (13)

CHAÎNES

Tous ceux qui sont enchaînés ne sont
[pas soumis.
Parfois, une chaîne est plus précieuse
[qu'un collier. (4)

CHANT

Donne-moi un roseau et chante!
Car le chant est une ombre gracieuse,
Et la plainte du roseau demeure
Lorsque les illusions s'effacent et
[meurent. (3)

CHARITÉ

La pièce que vous laissez tomber dans
La main flétrie qui se tend vers
Vous est la seule chaîne d'or qui
Lie votre cœur plein de richesse au
Cœur aimant de Dieu... (7)

CHEF RELIGIEUX

Êtes-vous un chef religieux qui se tisse à lui-même une robe pourpre en se servant de la simplicité des fidèles, qui se fait une couronne d'or de leur gentillesse, et qui éructe sa haine contre Satan tout en vivant de ses largesses ? Si oui, vous êtes un hérétique, peu importe que vous jeûniez le jour et que vous priiez la nuit.

Ou êtes-vous l'homme de foi qui trouve dans la bonté des gens le fondement de l'amélioration de toute la nation et dans l'âme de qui se dresse l'échelle de perfection qui monte vers le Saint-Esprit ? Si vous êtes tel, vous êtes comme un lys dans le jardin de la Vérité. Et il importe peu que votre parfum se perde parmi les hommes ou se disperse dans l'air où il sera préservé pour l'éternité. (13)

CHOSES

Les choses substantielles avilissent un homme sans le faire souffrir. L'amour l'éveille d'une stimulante douleur. (11)

Si vos connaissances ne vous apprennent pas la valeur des choses et ne vous libèrent pas des liens qui vous attachent à la matière, vous n'approcherez jamais du trône de la Vérité.

CIEL

Les anges tiennent compte de chaque larme versée par le Chagrin, et ils portent aux oreilles des esprits qui hantent les cieux de l'Infini chaque chant de joie créé par nos affections.

Là, dans le monde à venir, nous verrons, nous sentirons toutes les vibrations de nos sentiments et les mouvements de nos cœurs. Nous comprendrons la signification de la divinité qui est en nous et que nous méprisons parce que nous sommes poussés par le Désespoir. (13)

CITÉ

Oh, peuple de la bruyante cité, vous qui vivez dans l'obscurité, qui vous hâtez vers la misère, qui prêchez le faux et qui proférez des stupidités... jusques à quand demeurerez-vous dans l'ignorance? Jusques à quand vous vautrerez-vous dans les souillures de la vie et déserterez-vous ses jardins? Pourquoi portez-vous des haillons étriqués, alors qu'on a coupé pour vous des vêtements de soie dans la beauté de la nature? La lampe de la Sagesse vacille, il est temps d'y mettre de l'huile. La maison de la fortune véritable est en train de s'écrouler, il est temps de la reconstruire et de la conserver. Les voleurs ignorants ont volé le trésor de votre paix, il est temps de le reprendre. (11)

CIVILISATION

La misère de nos pays d'Orient est la misère du monde, et ce que vous appelez civilisation à l'Ouest n'est qu'un autre spectre parmi les nombreux fantômes d'une tragique déception. (7)

Les inventions et les découvertes ne sont qu'un amusement et un confort pour le corps lorsqu'il est las et fatigué. La conquête de la distance et la victoire sur les mers ne sont que fruits fallacieux qui ne satisfont pas l'âme, qui ne nourrissent pas le cœur, qui n'élèvent pas l'esprit car ils sont éloignés de la nature. Quant aux structures et aux théories que l'homme appelle « connaissance » et « art », ils ne sont que des chaînes et des fers dorés portés par l'homme qui se réjouit de leur éclat brillant et de leur cliquetis. Ce sont de fortes cages dont l'homme a commencé à forger les barreaux voici des siècles, sans se rendre compte qu'il les construisait de l'intérieur, et qu'il serait bientôt son propre prisonnier pour l'éternité. (7)

CIVISME

Quelles sont les qualités d'un bon citoyen ?

C'est d'abord de reconnaître les droits des autres avant de proclamer les siens, mais sans cesser un seul instant de savoir ce qu'ils sont.

C'est d'être libre de ses paroles et de ses actes, mais de savoir que votre liberté est limitée par celle des autres.

C'est de créer de ses propres mains ce qui est utile et ce qui est beau, tout en admirant ce que d'autres ont créé avec amour et avec foi.

C'est de produire par le travail, et rien que par le travail, et de dépenser moins que ce que vous gagnez pour que vos enfants n'aient pas à être entretenus par l'État lorsque vous ne serez plus. (4)

CLÉMENCE

Ne soyez pas cléments, soyez justes. La clémence est destinée à un criminel coupable. Un innocent n'a besoin que de justice. (9)

CLERCS

Le prêtre érige son temple sur les tombes et sur les ossements des adorateurs dévôts. (9)

CŒUR DE FEMME

Un cœur de femme ne change pas avec le temps ou la saison. Même s'il meurt éternellement, il ne périra jamais. Un cœur de femme est comme un champ transformé en champ de bataille : après que les arbres aient été déracinés, que l'herbe ait été brûlée, que les rochers aient été teintés de sang et que la terre ait été couverte de crânes et d'ossements, il est calme et silencieux comme si rien ne s'était passé. Car le printemps et l'automne reviennent à leur heure et reprennent leur travail. (1)

CONNAISSANCE

Le savoir suit diverses routes.
Nous savons d'où il part, mais non
[où il va.
Car le Temps et le Destin dirigent
[sa course,
Et nous ne voyons pas au-delà
[du virage.
Ce qu'il y a de mieux dans la
[connaissance est un rêve
Que le vainqueur tient fermement,
[sans craindre
Le ridicule, et qu'il transporte
[avec sérénité,
Humble et méprisé au sein de la
[foule. (3)

CONSCIENCE

La conscience est un juge plein de faiblesse. Celle-ci le rend impuissant à exécuter son jugement. (13)

CONSEILS

Mes frères, demandez-vous conseil les uns aux autres. C'est le moyen d'éviter les erreurs et les repentirs futiles. La sagesse du plus grand nombre est votre bouclier contre la tyrannie. Car lorsque nous nous adressons les uns aux autres pour demander conseil, nous réduisons le nombre de nos ennemis. (13)

Mon âme est mon conseil, et elle m'a appris à prêter l'oreille aux voix que la langue ne crée pas et que la gorge n'exprime pas.

Avant que mon âme devienne mon conseil, j'avais l'esprit obtus et l'ouïe faible. Je ne réagissais qu'au tumulte et aux cris. Mais maintenant, je puis écouter le silence avec sérénité, et dans le silence, j'entends les hymnes des temps qui chantent leur exaltation vers le ciel et qui révèlent les secrets de l'éternité. (4)

CONTENTEMENT

Ne te satisfais pas d'un contentement partiel, car celui qui verse la source de la vie dans une jarre vide repartira avec deux jarres pleines. (7)

La Fortune n'appelle pas le Contentement, car c'est un espoir terrestre dont les désirs se réalisent par l'union avec les choses matérielles, alors que le Contentement n'est qu'un élan du cœur. (11)

CONTRADICTION

La contradiction est un degré inférieur de l'intelligence. (4)

CONVOITISE

La Beauté se révèle à nous, assise sur un trône de gloire. Mais nous l'approchons au nom de la Convoitise, nous lui arrachons sa couronne de pureté et nous souillons ses vêtements par nos méfaits. (13)

CORPS

Celui qui tente de séparer le corps de l'esprit ou l'esprit du corps éloigne son cœur de la vérité. La fleur et son parfum sont inséparables, et l'aveugle qui nie la couleur et l'image de la fleur en croyant qu'elle ne possède qu'un parfum qui vibre dans l'éther est semblable à ceux qui se pincent les narines en prétendant que les fleurs ne sont que des formes et des tons qui n'ont aucun parfum. (7)

La vie est nue. Un corps nu est le symbole le plus vrai et le plus noble de la vie. Si je dessine une montagne comme un entassement de formes humaines et si je peins une cascade en forme de chute de corps humains, c'est parce que je vois dans la montagne un tas de choses vivantes et dans la cascade un courant de vie qui se précipite. (2)

COURAGE

L'esprit qui a vu le spectre de la mort ne sera pas effrayé par le visage des voleurs. Le soldat qui a vu les glaives briller au-dessus de sa tête et des flots de sang couler sous ses pieds ne se soucie pas des pierres que lui lancent les enfants dans la rue. (1)

COURSIER

Mon âme, la vie est comme un coursier de la nuit : plus son galop est rapide, plus proche sera l'aube. (13)

CRAINTE DE LA MORT

La crainte de la mort est une illusion
Ancrée dans le cœur des sages.
Celui qui vit un seul Printemps
Est pareil à qui vit tout au long
[des âges. (3)

CRIMINEL

Pour le criminel, faible et pauvre,
L'étroite cellule de la mort attend. Mais
L'honneur et la gloire attendent les
[riches qui
Cachent leurs crimes derrière leur
Or et leur argent, et derrière la
[grandeur dont ils ont hérité. (10)

CROYANCES

Les croyances des gens viennent,
[puis s'évanouissent
Comme les ombres dans la nuit. (3)

CROYANT

Lorsque vous *connaissez* quelque chose, vous y croyez, et le vrai croyant voit avec son *discernement spirituel* ce que le chercheur superficiel ne voit pas avec les yeux de son visage. Et il comprend grâce à sa pensée *intérieure* ce que l'examinateur extérieur ne peut comprendre avec l'exigeant processus de pensée qu'il a acquis.

Le croyant apprend à connaître les réalités sacrées grâce à des sens profonds qui diffèrent de ceux des autres. Le croyant considère ses sens comme un haut mur qui l'entoure, et lorsqu'il marche sur le sentier, il dit : « Cette ville n'a pas de sortie, mais elle est parfaite à l'intérieur ». Le croyant vit pour tous les jours et toutes les nuits, et celui qui n'a pas la foi ne vit que quelques heures. (7)

DÉMON

Souviens-toi qu'un homme juste apporte au démon plus d'affliction qu'un million de croyants aveugles. (13)

DENTS

Dans la bouche de la Société, il y a beaucoup de dents malades, cariées jusqu'à l'os de la mâchoire. Mais la Société ne fait aucun effort pour les extraire et se débarrasser de cette infirmité. Elle se contente de plombages en or. Il y a de nombreux dentistes qui traitent les dents cariées de la Société avec de l'or brillant.

Nombreux sont ceux qui cèdent aux séductions de tels réformateurs. La douleur, la maladie et la mort sont leur lot...

Visitez les tribunaux et observez les actes des escrocs corrompus qui sont les pourvoyeurs de la justice. Voyez comment ils jouent avec l'esprit et la pensée des gens simples, comme le chat joue avec la souris.

Visitez les demeures des riches où règnent la tromperie, la fausseté et l'hypocrisie.

Mais ne négligez pas pour autant de pénétrer dans les huttes des pauvres où vivent la crainte, l'ignorance et la lâcheté.

Ensuite, allez rendre visite aux dentistes aux doigts agiles, qui possèdent de délicats instruments, du ciment dentaire et des tranquillisants, et qui passent leurs jours à boucher les cavités des dents pourries de la nation pour en cacher les caries. (13)

DÉSESPOIR

Le désespoir est le reflux de chaque flux du cœur. C'est une affection muette. (8)

Le désespoir affaiblit notre vue et nous ferme les oreilles. Nous ne voyons plus que les spectres du destin, et nous n'entendons plus que le battement de nos cœurs agités. (1)

DÉSIR ARDENT

Dans la volonté de l'homme il y a un pouvoir de désir ardent qui transforme en soleil le brouillard qui est en nous. (8)

DESPOTE

Les nations ignorantes arrêtent leurs grands hommes et les échangent contre des despotes. Et un pays dirigé par un tyran, persécute ceux qui tentent de libérer le peuple du joug de l'esclavage. (9)

DESTIN

L'homme possède un destin
Qui commande ses pensées, ses actions
Et ses mots, et comme si cela
Ne suffisait pas, dirige ses pas
Vers un lieu où il ne veut pas
[demeurer. (10)

DESTINÉE

Les circonstances nous font emprunter

Les sentiers étroits tracés par la
[Destinée.

Car le Destin a des voies que nous
[ne pouvons changer

Alors que la Faiblesse s'empare de
[notre volonté.

Nous lui relevons la tête en nous
[excusant

Et nous l'aidons ainsi à nous tuer. (3)

La vie nous soulève et nous emporte d'un lieu à un autre. Le Destin nous déplace d'un endroit à l'autre. Et nous, tiraillés entre les deux, nous entendons des voix terrifiantes, et nous voyons ce qui se dresse devant nous comme un empêchement et un obstacle sur notre route. (13)

DESTRUCTION

Oui, je suis un fanatique, et je penche autant vers la destruction que vers la construction. Je hais au fond de moi ce que sanctifient mes détracteurs, et j'aime ce qu'ils rejettent. Si je pouvais arracher du peuple certaines coutumes, certaines croyances et certaines traditions, je le ferais sans hésiter. Quand ils ont déclaré que mes livres étaient empoisonnés, ils disaient la vérité en ce qui les concerne, parce que mes écrits sont un poison pour eux. Mais ils ont menti lorsqu'ils ont déclaré que j'enveloppais mon poison de miel, car je l'applique dans toute sa force et je le fais couler d'un verre transparent. Ceux qui me traitent d'idéaliste perdu dans les nuages sont ceux-là même qui se détournent du verre transparent qu'ils appellent « poison », sachant que leur estomac ne pourrait pas le digérer. (13)

DICHOTOMIE

Celui qui ne voit pas les anges et les démons dans les beautés et dans les malices de la vie est très éloigné de la connaissance, et son esprit demeurera vide d'affection. (1)

DIEU

L'homme s'est adoré lui-même depuis le commencement des Temps, et il a paré ce « moi-même » de différents titres. Aujourd'hui, il emploie le mot « Dieu » pour le désigner. (7)

La plupart des religions parlent de Dieu au masculin. Pour moi, Il est autant une Mère qu'un Père. Il est le père et la mère en une personne ; et la Femme est la Déesse-Mère. On peut rejoindre le Dieu-Père par l'esprit ou l'imagination. Mais la Déesse-Mère ne peut être atteinte que par le cœur, par l'amour. Et l'Amour est ce vin sacré que les dieux distillent dans leurs cœurs pour le verser dans les cœurs des hommes. Seuls ceux dont les âmes ont été nettoyées de toutes les convoitises animales peuvent le goûter dans sa pureté et sa divinité. Pour les cœurs purs, être ivre d'amour est être ivre de Dieu. Mais ceux qui, au contraire, le mélangent aux vins des passions terrestres ne goûtent que les orgies des démons de l'Enfer. (2)

Il serait plus sage de moins parler de Dieu que nous ne pouvons pas comprendre, et plus les uns des autres, car nous nous comprenons. Cependant, je veux vous dire que nous sommes le souffle et le parfum de Dieu. Nous sommes Dieu en fleurs, en feuilles et très souvent en fruits. (4)

DISSIMULATION

Dissimulez votre passion ; votre maladie est aussi votre remède parce que l'amour de l'âme est comme le vin dans un verre : ce que vous en voyez est liquide, ce qui est caché, c'est son esprit.

Dissimulez vos ennuis. Alors, même si la mer gronde, même si les cieux tombent, vous serez en sécurité. (4)

DIVINITÉ

Souviens-toi que la divinité est le véritable moi de l'Homme. On ne peut la vendre pour de l'or, et on ne peut l'entasser comme les richesses du monde d'aujourd'hui. Le riche a rejeté sa divinité et s'est accroché à son or. Et les jeunes d'aujourd'hui ont abandonné la divinité afin de satisfaire leurs appétits et leurs plaisirs. (13)

DOULEUR

La douleur est une main puissante et invisible qui brise la surface du rocher pour en extraire la pulpe. (8)

ÉCRIVAIN

Êtes-vous cet écrivain qui garde la tête très haut par-dessus la foule tandis que son esprit s'enfonce dans les abîmes du passé, tout encombré des chiffons et des inutiles déchets des âges révolus ? Si oui, vous êtes comme un marais stagnant.

Ou êtes-vous cet esprit perçant qui examine avec attention son moi intérieur, rejetant ce qui est inutile, usé et mauvais pour ne garder que ce qui est utile et bon ? Si oui, vous êtes une manne pour les affamés, de l'eau fraîche et pure pour ceux qui ont soif. (13)

ÉDIFICE

Quel est l'homme capable d'abandonner un édifice à la construction duquel il a consacré toute sa vie, même s'il s'agit de sa propre prison ? Il est difficile de s'en débarrasser en un seul jour. (8)

ÉGALITÉ

Une heure consacrée à pleurer et à se lamenter sur l'égalité qui a été volée aux faibles est plus noble qu'un siècle d'avidité et d'usurpation. (11)

ÉGLISES

Oh, Jésus, ils ont bâti ces églises pour le salut de ta propre gloire, et ils les ont embellies de soie et d'or fondu... Ils ont abandonné les corps des pauvres que tu avais choisis, couverts de vêtements en haillons dans la nuit froide... Ils ont rempli le ciel de la fumée des cierges et de l'encens, et ils ont laissé sans pain tes fidèles adorateurs... Ils ont entonné des hymnes de louange, mais ils sont restés sourds aux cris et aux pleurs des veuves et des orphelins.

Reviens, Oh, Jésus vivant, et chasse de Ton temple sacré les vendeurs de Ta foi, car ils en ont fait une grotte sombre où rampent en grand nombre les vipères de l'hypocrisie et de la fausseté. (7)

ENFANCE

Les choses qu'aime l'enfant demeurent dans le domaine du cœur jusqu'aux vieux jours. Ce qu'il y a de plus beau dans la vie, c'est que nos âmes continuent à hanter les endroits que nous avons aimés jadis. (8)

ENFER

L'enfer n'est pas dans la torture.
L'enfer est dans un cœur vide. (4)

ÉPOUX

Êtes-vous un époux qui considère les torts qu'il a causés comme conformes à la loi, mais ceux qu'a causés son épouse comme illégaux ? S'il en est ainsi, vous êtes comme ces sauvages, aujourd'hui disparus, qui vivaient dans les grottes et couvraient leur nudité de peaux de bêtes.

Ou êtes-vous un compagnon fidèle, dont la femme est toujours à ses côtés, partageant chacune de ses pensées, de ses joies et de ses victoires ? Si oui, vous êtes comme quelqu'un qui, à l'aube, marche à la tête de la nation vers le resplendissant midi de la Justice, de la Raison et de la Sagesse. (13)

ÉPREUVES

Braver les obstacles et les épreuves est plus noble que de se réfugier dans la tranquillité. Le papillon qui tourne autour de la lampe jusqu'à la mort est plus admirable que la taupe qui vit dans un sombre tunnel. (1)

ESCLAVAGE

J'ai accompagné le fond des âges des bords du Gange aux rives de l'Euphrate, de l'embouchure du Nil aux plaines d'Assyrie, des arènes d'Athènes aux églises de Rome, des taudis de Constantinople aux palais d'Alexandrie... Et pourtant, partout j'ai vu passer l'esclavage dans une glorieuse et majestueuse procession d'ignorance. J'ai vu les peuples sacrifier les jeunes gens et les jeunes filles aux pieds de l'idole qu'ils appelaient leur Dieu, verser sur elle le vin et le parfum en l'appelant Reine, brûler de l'encens devant son image en l'appelant Prophète, s'agenouiller devant elle et l'adorer en l'appelant la Loi, combattre et mourir pour elle en l'appelant Patriotisme, se soumettre à sa volonté en l'appelant l'Ombre de Dieu sur la Terre, détruire et démolir en son nom les institutions et les demeures en l'appelant Fraternité, lutter, voler et travailler pour elle en l'appelant Fortune et Bonheur, tuer pour elle en l'appelant Égalité.

Elle a de nombreux noms, mais une seule réalité. Elle a beaucoup d'apparences, mais elle est faite d'un seul élément. En vérité, elle est une maladie perpétuelle transmise par chaque génération à ses successeurs. (7)

On me dit : si tu vois dormir un esclave, n'aie garde de le réveiller. Peut-être rêve-t-il de liberté.
Je réponds : si tu vois dormir un esclave, réveille-le et enseigne-lui la liberté. (4)

ESPOIR

L'Espoir ne se trouve pas dans la forêt
Et les régions sauvages ne sont pas
[l'image du Désespoir.

Pourquoi la forêt chercherait-elle
[des parties
Alors que TOUT est en elle?
Pourquoi faudrait-il fouiller la forêt
[pour y trouver l'espoir,
Alors que *toute la nature* est l'objectif?
Car l'Espoir n'est qu'une maladie,
Comme la Situation, la Fortune, et la
[Renommée. (3)

ESPRIT

L'esprit qui demeure en chaque être se manifeste par les regards, la contenance et par tous les gestes et les mouvements du corps. Notre aspect, nos paroles et nos actes ne sont jamais plus grands que nous. Car l'âme est notre demeure, nos yeux ses fenêtres et nos paroles ses messagers. (13)

La force de l'esprit seule est
La puissance des puissances, et doit
[parfois
Réduire en poussière tout ce qui
[s'oppose à
Elle. Ayez pitié des hommes de peu
[de foi,
De leur faiblesse, de leur ignorance et
De leur néant. Ne les condamnez
[pas. (10)

C'est par l'esprit

Non par le corps qu'il faut montrer
[son amour,
De même qu'il faut presser le vin
Pour stimuler et non pour affaiblir. (10)

Vous pouvez me priver de tout ce que je possède, vous pouvez répandre mon sang et brûler mon cadavre, mais vous ne pourrez pas blesser mon esprit ou porter atteinte à ma vérité. (5)

ESPRITS

Entre les peuples de l'éternité et les peuples de la terre, il y a une constante communication et, tous, nous devons obéir à la volonté de cette invisible puissance. Souvent, un individu accomplit un acte en croyant qu'il est né de sa propre volonté, avec son accord et sur son ordre, alors qu'en fait il a été guidé et inspiré avec précision pour l'accomplir. Beaucoup de grands hommes ont atteint la gloire en s'abandonnant à la volonté de l'esprit dans une complète soumission, sans rechigner et sans résister à ses exigences, comme le violon s'abandonne à la totale volonté d'un bon musicien.

Entre le monde spirituel et le monde matériel, il existe un sentier que nous parcourons comme si nous étions engourdis par le sommeil. Il nous touche, mais nous n'avons pas conscience de sa force, et lorsque nous revenons à nous, nous découvrons que nous portons dans nos vraies mains les semences qu'il nous faudra soigneusement planter dans la bonne terre de notre vie quotidienne pour qu'elles produisent nos bonnes actions et nos plus belles paroles. S'il n'y avait pas ce sentier entre nos vies et celles qui nous ont quitté, il n'y aurait jamais eu ni prophète, ni poète, ni savant parmi nous. (7)

EST ET OUEST

L'Occident n'est ni plus ni moins que l'Orient, et la différence qu'il y a entre les deux n'est pas plus grande que celle qui sépare le tigre du lion. Derrière la façade de la société, j'ai découvert une loi juste et parfaite : elle rend égales la misère, la prospérité et l'ignorance. Elle ne préfère pas une nation à une autre, elle n'opprime pas une tribu pour en enrichir une autre. (7)

ÉTERNITÉ

Chaque chose qui existe demeure à jamais, et l'existence même de l'existence est la preuve de son éternité. Mais sans cette compréhension, qui est la connaissance de l'être parfait, jamais l'homme n'aurait su s'il y a une existence ou une non-existence. Si l'existence éternelle se transforme, elle doit devenir plus belle ; si elle disparaît, elle doit revenir avec un aspect plus sublime ; et si elle dort, elle doit rêver d'un meilleur réveil, car elle est plus grande chaque fois qu'elle renaît. (7)

Ne retourneront à l'éternité
Que ceux qui l'ont cherchée sur
[terre. (11)

ÉTUDE

L'étude nourrit la semence, mais elle ne la fabrique pas. (4)

La raison et l'étude sont comme le corps et l'âme. Sans le corps, l'âme n'est qu'un souffle sans substance. Sans l'âme, le corps n'est qu'une structure insensible.

La raison sans l'étude est comme un sol en friche, ou comme le corps humain quand il n'est pas nourri. (13)

L'étude est la seule richesse dont les tyrans ne peuvent vous spolier. Seule la mort peut éteindre la flamme de la connaissance qui est en vous. La vraie richesse d'une nation n'est ni son or ni son argent, mais son savoir, sa sagesse et la droiture de ses enfants. (13)

ÉVEIL SPIRITUEL

L'éveil spirituel est ce qu'il y a de plus essentiel dans la vie d'un homme, et c'est sa seule raison d'être. La civilisation, dans toutes ses formes tragiques, n'est-elle pas le mobile suprême de l'éveil spirituel ? Alors, comment pouvons-nous nier l'existence de la matière quand elle constitue une preuve indubitable de sa conformité au but poursuivi? Notre civilisation actuelle peut avoir un objectif fugitif, mais la loi éternelle lui fournit une échelle dont les échelons peuvent conduire à une libre substance. (7)

ÉVOLUTION

La loi de l'évolution a un contenu sévère et oppressif, et ceux qui ont l'esprit craintif ou limité la craignent. Mais ses principes sont justes et ceux qui les étudient en sont illuminés. Par son raisonnement, les hommes s'élèvent au-dessus d'eux-mêmes et atteignent au sublime. (13)

EXCÈS

Pour combattre le mal, l'excès est bon. Le modéré, lorsqu'il proclame la vérité, ne présente qu'une demi-vérité. Il en cache l'autre moitié par crainte de la colère du peuple. (13)

Je ne serais pas surpris que des « penseurs » disent de moi : « C'est un homme excessif, car il ne considère que les mauvais côtés de la vie, et n'en rapporte que les ténèbres et les lamentations. » (13)

EXIL

Celui qui ne préfère pas l'exil à l'esclavage n'est libre sous aucun rapport de liberté, de vérité et de devoir. (9)

EXISTENCE

Il est impossible au miroir de l'âme de refléter dans l'imagination quelque chose qui n'est pas devant lui. Il est impossible au calme lac de montrer dans ses profondeurs l'image d'une montagne, d'un arbre ou d'un nuage qui ne sont pas proches de lui. Il est impossible à la lumière de projeter sur la terre l'ombre d'un objet qui n'existe pas. On ne peut rien entendre, voir ou sentir qui n'a pas d'existence réelle. (7)

FAIBLESSE

Cet acte qu'aujourd'hui, dans notre culpabilité, nous appelons faiblesse apparaîtra demain comme un chaînon essentiel dans la chaîne complète de l'Homme. (13)

FAIM

Un homme affamé, dans le désert, ne refusera pas de manger du pain sec si le Ciel ne lui envoie pas de la manne et des cailles. (1)

FEMME

Une femme que la Providence a dotée de la beauté du corps et de l'esprit est une vérité à la fois ouverte et secrète, et nous ne pourrons la comprendre que par l'amour, nous ne pourrons la toucher que par la vertu. Et lorsque nous tenterons de la décrire, elle disparaîtra comme une fumée. (1)

Les femmes ont ouvert les fenêtres de mes yeux et les portes de mon esprit. S'il n'y avait pas eu la femme-mère, la femme-sœur, la femme-amante, j'aurais dormi parmi ceux qui troublent la tranquillité du monde par leurs ronflements. (8)

Les écrivains et les poètes essaient de comprendre la vérité sur la femme. Mais jusqu'à ce jour, ils n'ont jamais compris son cœur parce qu'ils la regardent à travers le voile du désir et ne voient que la forme de son corps. Ou ils la regardent à travers le verre grossissant du dépit, et ne trouvent en elle que faiblesse et soumission. (5)

FERTILITÉ

Le corps est le giron où l'âme
S'installe jusqu'à ce qu'elle soit à
[terme.
Elle monte alors pour prendre son
[essor
Tandis que la matrice s'ouvre à une
[nouvelle semence. (3)

FLEURS

Les fleurs des champs sont les enfants de l'affection du soleil et de l'amour de la nature. Et les enfants des hommes sont des fleurs de l'amour et de la compassion. (1)

FOI

Dieu a créé plusieurs portes qui donnent sur la vérité, et il les ouvre à tous ceux qui y frappent avec des mains de foi. (7)

FOLIE

La folie est le premier pas vers l'altruisme. Soyez fou, et dites-nous ce qui se cache derrière le voile d'un esprit sain. Le but de la vie est de nous rapprocher de ces secrets, et la folie en est le seul moyen. (8)

Le fou ne voit que la folie et le dément que la démence. Hier j'ai demandé à un fou de dénombrer les fous parmi nous. Il s'est mis à rire et m'a dit : « C'est bien trop difficile, et ce serait trop long. Ne vaudrait-il pas mieux compter les sages ? » (13)

Un jour, j'ai entendu un érudit qui disait : « Tout mal a son remède, sauf la folie. Faire des reproches à un fou obstiné ou sermonner un sot, c'est comme écrire sur l'eau. Le Christ a soigné l'aveugle, le boîteux, le paralytique et le lépreux. Mais Il n'a pu guérir le fou. (13)

FORCE

La véritable force qui empêche le cœur d'être blessé est celle qui lui évite de se gonfler à sa grandeur interne. Le chant de la voix est mélodieux, mais le chant du cœur est la pure voix du ciel. (7)

FORTUNE

Dans certains pays, la richesse des parents est une source de misère pour les enfants. La grande et solide boîte que le père et la mère ont employée ensemble pour sauvegarder leurs richesses devient une étroite et sombre prison pour les âmes de leurs héritiers. Le Dinar* Tout-Puissant que le peuple adore devient un démon qui punit l'âme et étouffe le cœur. (1)

FOULE

La vie parmi la foule n'est qu'un bref
Sommeil de drogué, mêlé de rêves
Fous, de spectres et de craintes. (10)

FRATERNITÉ

Je vous aime parce que vous êtes faible devant le puissant oppresseur, et pauvre devant le riche cupide. C'est pourquoi je verse un pleur sur vous et je vous réconforte. Et derrière mes larmes je vous vois, étreint par les bras de la Justice, sourire et pardonner à vos persécuteurs. Vous êtes mon frère et je vous aime. (11)

Je vous aime, mon frère, qui que vous soyez, que vous adoriez Dieu dans votre église, que vous vous agenouilliez dans votre temple ou que vous priiez dans votre mosquée. Vous et moi sommes les enfants d'une même foi, car les divers sentiers de la religion sont les doigts de la main aimante d'un Être Suprême, une main qui se tend vers tous, qui nous offre à tous la plénitude de l'esprit et qui nous appelle tous. (13)

---

* Monnaie libanaise.

GÉANTS

Nous vivons à une époque où les hommes les plus humbles deviennent plus grands que les plus grands hommes des âges précédents. Ce qui préoccupait nos esprits jadis est sans conséquence aujourd'hui. Le voile de l'indifférence le recouvre. Les beaux rêves qui hantaient notre conscience se sont dispersés comme un brouillard. À leur place, des géants se déplacent comme une tempête, font rage comme les océans et soufflent comme des volcans.

Quel destin apporteront-ils au monde à la fin de leurs combats ?

Quel sera le destin de votre pays et du mien ? Quel géant va s'emparer des montagnes et des vallées qui nous ont produits, qui nous ont soutenus et qui nous ont fait hommes et femmes à la face du soleil ?

Qui de vous ne réfléchit jour et nuit au destin du monde sous la férule de géants enivrés par les larmes des veuves et des orphelins ? (13)

GENRE HUMAIN

J'adore le genre humain et j'aime
[également
Les trois sortes d'hommes : celui qui
Blasphème la vie, celui qui la bénit
Et celui qui médite sur elle.
J'aime le premier à cause de sa
[misère et
Le second pour sa générosité et
Le troisième pour sa sensibilité et
[pour sa paix. (7)

GENTILLESSE

La gentillesse de certains est comme
Une écaille polie au toucher soyeux,
Mais qui ne contient pas de perle
[précieuse,
Oublieuse qu'elle est du bien-être
[fraternel.
Si vous rencontrez quelqu'un qui
[est fort,
Et gentil en même temps, enchantez-en
[votre regard,
Car vous le contemplez dans toute sa
[gloire.
Même un aveugle peut voir ses
[qualités. (3)

GLAIVE

Quiconque atteint l'éternité le glaive à la main vivra aussi longtemps qu'il y aura une justice. (4)

GLOIRE

Une heure consacrée à la poursuite
[de la Beauté
Et de l'Amour vaut un siècle de la
[gloire
Apportée aux forts par les faibles
[peureux. (11)

Je t'ai vu, mon frère, assis sur ton trône de gloire. Les gens se serraient autour de toi pour acclamer ta majesté, chantant les louanges de tes hauts faits, exaltant ta sagesse et te regardant comme s'ils étaient en présence d'un prophète, leurs esprits s'élevant jusqu'à la voûte du ciel.

Et tandis que tu regardais tes sujets, j'ai vu sur ton visage les marques de ta joie, de ta puissance et de ton triomphe, comme si tu étais l'âme de leurs corps.

Mais lorsque j'ai levé à nouveau les yeux, voici que je t'ai trouvé seul dans ta solitude, debout à côté de ton trône comme un exilé qui tend la main dans toutes les directions, demandant à d'invisibles esprits leur miséricorde et leur tendresse et réclamant un abri, même s'il ne devait rien contenir d'autre que chaleur et amitié. (13)

GUERRE

Tu es mon frère, mais pourquoi te querelles-tu avec moi? Pourquoi envahis-tu mon pays et tentes-tu de me subjuguer pour plaire à ceux qui cherchent la gloire et l'autorité?

Pourquoi quittes-tu ta femme et tes enfants et suis-tu la Mort jusqu'en ce pays lointain pour le compte de ceux qui achètent leur gloire de ton sang et leur honneur des larmes de ta mère?

Est-ce un honneur pour un homme de tuer son frère? Si tu le crois, fais-en un acte d'adoration, et élève un temple à Caïn qui a tué son frère Abel. (11)

Les amants peuvent-ils se rencontrer et échanger leurs baisers sur des champs de bataille encore couverts de l'âcre fumée des bombes?

Le poète peut-il composer ses chants sous des étoiles voilées par la fumée des canons?

Le musicien peut-il jouer du luth dans une nuit dont le silence est violé par la terreur? (13)

GOUVERNEUR

Êtes-vous un gouverneur qui regarde ses sujets en ne faisant rien d'autre que leur vider les poches ou les exploiter pour son seul profit ? Si oui, vous n'êtes que de l'ivraie sur l'aire de la nation.

Êtes-vous un serviteur dévoué qui aime le peuple, reste toujours attentif à son bien-être et travaille à son succès ? Si oui, vous êtes une bénédiction dans les greniers du pays. (13)

HAINE

J'utilise la haine comme une arme pour me défendre. Si j'avais été fort, je n'aurais jamais eu besoin d'une telle arme. (4)

HÉRITAGE

L'homme qui acquiert sa fortune par héritage construit sa demeure avec l'argent des pauvres gens. (9)

HONNEURS

Les honneurs ne sont que fausses
[illusions
Comme l'écume sur la vague.
Si l'amande répandait ses fleurs
Sur la terre, à ses pieds,
Jamais elle ne revendiquerait l'autorité
Ni ne dédaignerait le gazon qui
[l'accueille. (3)

HUMANITÉ

L'Humanité est l'esprit de l'Être Suprême sur la terre, et cette humanité se tient au milieu des ruines, couvrant sa nudité sous des haillons, répandant ses larmes sur ses joues creuses et appelant ses enfants d'une voix pitoyable. Mais les enfants sont occupés à chanter l'hymne de leur clan et à aiguiser leurs glaives. Ils ne peuvent entendre les cris de leurs mères.

L'Humanité est l'esprit de l'Être Suprême sur la terre, et cet Être Suprême prêche l'amour et la bonne volonté. Mais le peuple ridiculise de tels enseignements. Jésus le Nazaréen les écoutait, et son sort fut d'être crucifié. Socrate entendit la voix et lui obéit, et il souffrit aussi dans son corps. Les adeptes du Nazaréen et de Socrate sont les adeptes de la Divinité, et comme le peuple ne veut pas les tuer, il se moque d'eux en disant : « Le ridicule est plus amer que la mort ». (11)

Mon âme m'a fait un sermon, et elle m'a montré que je ne suis ni plus qu'un pygmée, ni moins qu'un géant.

Avant qu'elle ne me fasse son prêche, je considérais l'humanité comme deux hommes : l'un, faible, dont j'avais pitié ; l'autre, fort, que je suivais ou auquel ma méfiance me faisait résister.

Mais maintenant, j'ai appris que j'étais semblable à l'un et à l'autre et que je suis fait des mêmes éléments. Mon origine est leur origine, ma conscience leur conscience, ma prétention leur prétention et mon pèlerinage leur pèlerinage.

S'ils pèchent, je suis un pécheur également. S'ils font le bien, j'en tire ma fierté. S'ils s'élèvent, je m'élève avec eux. S'ils demeurent inertes, je partage leur indolence. (13)

IDÉES

Qu'il est aveugle celui qui imagine un objet et en fait le plan dans toutes ses formes et sous tous ses angles et qui, lorsqu'il ne peut en apporter la preuve complète par la mesure de sa surface et par une démonstration verbale, croit que ses idées et son imagination étaient sans objet ! Mais s'il y réfléchit objectivement, et s'il médite ces événements, il sera convaincu que son idée était aussi réelle qu'un oiseau dans le ciel, mais qu'elle ne s'est pas encore matérialisée, qu'elle était un fragment de connaissance que l'on ne peut prouver par des chiffres et des mots, car elle était trop élevée et trop vaste pour être emprisonnée en ce moment, trop profondément enfoncée dans le spirituel pour se soumettre déjà à la réalité. (7)

Chaque beauté, chaque grandeur de ce monde naît d'une simple pensée, d'une simple émotion au sein d'un homme. Chaque réalisation des générations passées telle que nous la voyons aujourd'hui était, avant son apparition, une pensée dans l'esprit d'un homme ou une impulsion dans le cœur d'une femme. Les révolutions qui ont versé tant de sang et qui ont orienté l'esprit des hommes vers la liberté étaient l'idée d'un seul homme qui vivait parmi des milliers d'autres. Les guerres dévastatrices qui ont détruit des empires étaient une pensée dans l'esprit d'un individu. Les enseignements suprêmes qui ont changé le cours de l'humanité étaient les idées d'un homme que son génie avait séparé de ceux qui l'entouraient. Une simple pensée a construit les Pyramides, fondé la gloire de l'Islam et causé l'incendie de la bibliothèque d'Alexandrie. (1)

IGNORANCE

Dans la maison de l'ignorance, il n'y a pas de miroir où contempler votre âme. (7)

Pendant que le flot descendait,
[j'écrivis une ligne sur le sable,
En y mettant tout ce que j'avais
[dans l'âme et dans l'esprit
J'y retournai à marée haute pour
[me relire et pour y réfléchir.
Mais je ne trouvai rien sur le rivage
[que ma propre ignorance. (4)

ÎLE

La vie est une île dans un océan de solitude, une île dont les rochers sont des espoirs, dont les arbres sont des rêves, dont les fleurs sont un isolement et dont les ruisseaux sont une soif.

Votre vie, oh, hommes, mes amis, est une île séparée de toutes les autres îles, de toutes les autres régions. Peu importe le nombre de navires qui quittent vos rivages pour d'autres cieux, peu importe le nombre de flottes qui accostent sur vos rives, vous demeurez une île solitaire, souffrant des affres de l'isolement et aspirant au bonheur. Vous êtes inconnus des autres hommes, et éloignés à jamais de leur sympathie et de leur compréhension. (13)

ILLUSION

La volonté de l'homme est une
[ombre flottante
Qu'il conçoit dans l'esprit,
Et les droits de l'humanité passent
Et périssent comme les feuilles
[d'automne. (13)

IMAGINATION

Les pensées ont une demeure plus haute que le monde visible et leurs cieux ne sont pas couverts par les nuages de la sensualité. L'imagination trouve son chemin vers le royaume des dieux et là, l'homme peut voir ce qu'il y aura après la libération de l'âme du monde matériel. (13)

D'un seul bond, elle (l'imagination) atteindra le noyau de la vie, le débarrassera de toutes ses excroissances, les brûlera et en jettera les cendres dans les yeux de ceux qui lui ont donné le jour. Ainsi doivent être toutes les imaginations. (2)

IMITATION

Les gens de la ville feignent
D'être sages et savants, mais leur
Imagination demeure fallacieuse, car
Ils ne sont rien moins qu'experts en
[imitation.
Ils sont fiers de pouvoir calculer
Qu'un troc n'apporte ni perte
Ni gain. L'idiot s'imagine qu'il est
Un roi, et qu'aucune puissance ne
[peut altérer
Ses rêves et ses fortes pensées.
Le fou plein de fierté prend son
[miroir pour
Le ciel, et son ombre pour la
Lune qui brille là-haut dans les
Cieux. (10)

IMMORTALITÉ

Mort sur terre, le fils de la terre
Est une fin, mais pour lui qui est
Céleste, ce n'est que le début
Du triomphe qu'il est certain d'obtenir.

Si quelqu'un embrasse l'aube dans
[ses rêves,
Il est immortel ! S'il dort
Tout au long de sa nuit, il s'enfonce
Sûrement dans une profonde mer
[de torpeur.
Car celui qui étreint le sol de près
Lorsqu'il est éveillé, rampera jusqu'à
[la fin.
Et la mort, comme la mer, qui
[l'affronte avec légèreté,
Le marquera d'une croix. Il descendra
[de tout son poids. (3)

Si je n'avais pas convoité l'immortalité, je n'aurais jamais appris le chant qu'on m'a chanté tout au long des temps.

Et je n'aurais été qu'un suicidé dont il ne serait rien resté que des cendres cachées au fond de son tombeau.

La vie n'est qu'une obscurité qui se termine avec le jour dans l'éclat du soleil.

Les aspirations de mon cœur me disent que la paix est dans la tombe.

Si quelque fou te dit que l'âme périt comme le corps et que ce qui meurt ne renaît jamais, dis-lui que les fleurs périssent, mais que les semences demeurent et gisent devant nous comme le secret de la vie éternelle. (4)

INCONSCIENCE

Le cœur humain nous appelle à l'aide ; l'âme humaine nous implore de la délivrer. Mais nous ne prenons pas garde à leurs cris, car nous n'entendons pas et nous ne comprenons pas. Au contraire, nous traitons de fou celui qui entend et qui comprend, et nous le fuyons.

Ainsi, la nuit passe, et nous vivons dans l'inconscience. Et les jours nous accueillent et nous étreignent. Mais nous vivons dans la crainte constante des jours et des nuits. (13)

INDÉPENDANCE

J'adore la véritable indépendance,
[et mon amour
Pour elle a grandi à mesure que j'ai
[vu le peuple
Se soumettre à l'esclavage,
À l'oppression et à la tyrannie, et
[se prosterner
Devant les horribles idoles
Dressées par les âges révolus, et polies
Par les lèvres desséchées des esclaves.
Mais j'aime ces esclaves de tout mon
[amour
Pour la liberté, car ils embrassent
[aveuglément
Les mâchoires des bêtes féroces avec
[une calme

Et bienheureuse inconscience, ne
[sentant pas
Le venin des vipères souriantes et
[creusant
Leurs tombes de leurs propres doigts
[sans même
S'en rendre compte. (7)

Mourir pour la liberté est plus noble
[que vivre
Dans l'ombre d'une faible soumission,
[car
Celui qui embrasse la mort, le glaive
De la Vérité à la main, vivra
[éternellement
Dans l'Éternité de la Vérité, car la Vie
Est plus faible que la Mort, et la Mort
Est plus faible que la Vérité. (7)

Celui qui est libre sur terre construit,
[en se battant,
Une prison pour sa propre captivité,
Et lorsqu'il se libère de sa propre
[lignée,
Il s'asservit à la pensée et aux
[caresses de l'amour. (3)

La Vie sans la Liberté est comme un corps sans âme, et la Liberté sans la pensée est comme un esprit confus... La Vie, la Liberté et la Pensée sont une trinité, elles durent toujours et ne passent jamais. (13)

La Liberté nous invite à sa table pour partager avec elle une savoureuse nourriture et des vins incomparables. Mais lorsque nous sommes assis, nous mangeons avec voracité et nous nous empiffrons. (13)

Vous pouvez m'enchaîner les mains et m'entraver les pieds, vous pouvez même me jeter dans une sombre prison, mais vous ne pourrez pas réduire mon esprit en esclavage, car il est libre. (5)

INFINI

Nous ne sommes que de frêles atomes dans les cieux de l'infini. Nous ne pouvons qu'obéir et nous soumettre aux vœux de la Providence.

Si nous aimons, notre amour ne vient pas de nous, et il n'est pas pour nous. Si nous nous réjouissons, notre joie n'est pas en nous, mais dans la Vie elle-même. Si nous souffrons, notre douleur n'est pas dans nos blessures, elle est dans le cœur même de la Nature. (13)

INSTABILITÉ

Le genre humain est comme un poème
Écrit sur la surface d'un ruisseau. (3)

INTERDIT

Si vous voyez un homme se détourner
[des
Fruits défendus qui l'entraîneraient
À d'insondables crimes, considérez-le
Avec amour car
C'est Dieu qu'il préserve en lui. (10)

INTOXICATION

L'être humain en vient à se droguer
Comme s'il s'agissait de se nourrir
[au sein.
Il n'atteindra l'époque du sevrage
Qu'au moment de son dernier
[repos. (3)

INVISIBLE

Les plus subtiles beautés de notre vie sont invisibles et inaudibles. (8)

Les Juifs, mon aimée, attendaient la venue du Messie qui leur avait été promis et qui devait les délivrer de l'esclavage.

Et la Grande Âme du Monde comprit que le culte de Jupiter et de Minerve était devenu sans valeur, car les cœurs assoiffés des hommes ne pouvaient plus être désaltérés par ce vin-là.

À Rome, des hommes s'interrogeaient sur la divinité d'Apollon, un dieu sans pitié, et la beauté de Vénus tombait déjà en désuétude.

Car au plus profond de leurs cœurs, bien qu'elles ne le comprissent pas, ces nations avaient faim et soif de l'enseignement suprême qui transcenderait tous les autres que l'on pouvait trouver sur terre. Ils aspiraient à la liberté de l'esprit qui enseignerait à l'homme de se réjouir avec ses semblables de la lumière du soleil et du miracle de la vie. Car c'est cette liberté chérie qui rapproche l'homme de l'Invisible, et lui permet de l'approcher sans crainte ni honte. (13)

JEUNES ET VIEUX

L'humanité est répartie en deux longues colonnes ; l'une comprend les vieillards courbés qui s'appuient sur des bâtons noueux. Lorsqu'ils marchent sur le sentier de la Vie, ils sont hors d'haleine comme s'ils grimpaient vers le sommet de la montagne alors qu'en réalité, ils descendent vers l'abîme.

Et la seconde colonne est celle des jeunes qui courent comme s'ils avaient les pieds ailés, qui chantent comme si leurs gorges étaient tendues de cordes d'argent, et qui grimpent vers le sommet comme s'ils étaient poussés par quelque irrésistible pouvoir magique. (13)

Jusques à quand le peuple restera-t-il
[assoupi ?
Jusques à quand glorifiera-t-il ceux
Qui n'ont atteint la grandeur que
[par chance ?
Combien de temps ignorera-t-il ceux qui
Lui ont permis de voir la beauté de
[son esprit,
Symbole de paix et d'amour ?
Jusques à quand les hommes
[honoreront-ils les morts

En ignorant les vivants qui passent
[leur vie
Dans un cercle de misère, et qui se
[consument
Comme des cierges allumés afin
[d'éclairer le chemin
Des ignorants et les conduire sur les
[sentiers de lumière? (11)

JEUNESSE

La jeunesse est un beau rêve sur l'éclat duquel les livres répandent une terne poussière. Le jour viendra-t-il jamais où les sages allieront la joie de la connaissance aux rêves des jeunes? Le jour viendra-t-il jamais où la nature deviendra le professeur de l'homme, l'humanité son livre et la vie son école? Le joyeux objectif de la jeunesse ne pourra pas être atteint tant que ce jour ne viendra pas. Notre marche vers l'élévation spirituelle est trop lente parce que nous n'utilisons pas suffisamment l'ardeur de la jeunesse. (13)

La beauté appartient à la jeunesse, mais la jeunesse, pour qui cette terre a été créée, n'est qu'un rêve dont la douceur est condamnée à un aveuglement qui rend sa conscience trop tardive. Le jour viendra-t-il jamais où les sages uniront les doux rêves de la jeunesse et la joie de la connaissance? Car l'un et l'autre ne sont rien lorsqu'ils sont solitaires. (10)

JEUNE VIERGE

Aucune affection n'est plus pure et plus douce à l'esprit que celle qui se cache dans le cœur d'une jeune fille qui s'éveille brusquement, et se remplit l'âme d'une musique céleste qui rend ses jours comme un rêve de poète, et ses nuits prophétiques. (9)

JÉSUS

L'Humanité considère Jésus de Nazareth comme un pauvre qui a connu la misère et l'humiliation comme tous les faibles du monde. Et on le prend en pitié, car l'Humanité croit qu'il a souffert de la crucifixion... Et tout ce que l'Humanité Lui offre, ce sont ses cris, ses gémissements et ses lamentations. Pendant des siècles, l'Humanité a adoré la faiblesse dans la personne du Sauveur.

Mais le Nazaréen n'était pas faible ! Il était fort, et il est fort ! Mais le peuple refuse d'envisager la véritable signification de la force. (7)

Jésus n'est pas venu du cœur du Cercle de Lumière pour détruire nos demeures et bâtir sur leurs ruines les couvents et les monastères. Il n'a pas persuadé l'homme fort de devenir moine ou prêtre, mais il est venu inaugurer sur cette terre un esprit neuf, avec le pouvoir de saper les fondations de toute monarchie bâtie sur les ossements des hommes... Il est venu pour démolir les palais majestueux construits sur les tombes des faibles, et pour écraser les idoles dressées sur les cadavres des pauvres. Jésus ne nous a pas été envoyé pour apprendre au peuple à bâtir des temples et des églises magnifiques au milieu des huttes froides et en ruine et des branlantes bicoques... Il est venu pour faire un temple du cœur de l'homme, de son âme un autel et de son esprit un prêtre. (7)

Sûrement, vous avez assez prié pour le reste de vos jours, et c'est pourquoi vous n'entrerez pas en adorateur dans une église, car ce n'est pas là que vous trouverez le Jésus que vous aimez tant. Il existe de nombreux endroits où l'on peut adorer la divinité, mais peu nombreux sont ceux qui l'adorent en esprit et en vérité. (2)

JOIE

J'ai cherché la joie dans ma solitude,
[et
Comme j'en approchais, j'ai entendu
[mon âme
Me murmurer dans le cœur : « La Joie
Que tu cherches est une vierge née
Et élevée dans les profondeurs de
[chaque cœur,
Et elle ne jaillit pas de son lieu de
[naissance. »
Et comme j'ouvrais mon cœur pour
[la trouver

Je n'ai découvert dans son domaine
[que son
Miroir, son berceau et son vêtement,
Mais la joie n'était pas là. (7)

La joie est un mythe que nous
[cherchons,
Et lorsque nous la trouvons elle
[nous agace,
Comme la rivière qui se hâte vers
[la plaine
Ralentit et s'assombrit en arrivant.
Car l'homme n'est heureux que
Dans son aspiration vers les sommets.
Lorsqu'il atteint son but, il déchante
Et aspire à d'autres lointains
[voyages. (3)

La joie sur cette terre n'est qu'un
Spectre qui passe, rapide, et que
[l'homme recherche
À tout prix, d'or ou de temps. Et
Lorsque le fantôme devient réalité,
L'homme s'en fatigue aussitôt. (10)

JOURNALISTE

Êtes-vous un journaliste qui vend ses principes au marché des esclaves et qui s'engraisse sur les ragots, les malheurs et le crime ? S'il en est ainsi, vous êtes comme un vautour vorace qui s'acharne sur une carcasse pourrissante. (13)

JUGEMENT

L'érudit qui manque de jugement est comme un soldat qui va à la bataille sans armes. Son courroux empoisonnera la pure source de vie de sa communauté, et il sera comme un grain d'aloès dans une carafe d'eau claire. (13)

JUSTICE

La Justice sur terre incite le Djinn
À dénoncer l'usage erroné de ce mot,
Et si les morts devaient en être témoins
Ils se moqueraient de la droiture de
[ce monde.

Oui, nous distribuons la mort et
[la prison
Aux petits délinquants
Tandis que nous accordons honneur,
[richesse et respect
Aux plus grands des pirates.

Nous disons qu'il est mal de voler
[une fleur,
Mais s'emparer d'une terre est de la
[chevalerie ;
Celui qui tue le corps doit mourir,

Mais on laisse en liberté celui qui tue
[l'esprit. (3)

De quelle autorité fait preuve la Justice lorsqu'elle tue un meurtrier? Lorsqu'elle emprisonne un voleur? Lorsqu'elle s'abat sur un village voisin et assassine ses habitants? Et que pense-t-elle de l'autorité selon laquelle un meurtrier punit celui qui tue, et le voleur condamne celui qui vole? (11)

Lorsqu'un homme en tue un autre, les gens disent que c'est un meurtrier, mais lorsque l'émir le tue, l'émir est juste. Lorsqu'un homme cambriole un monastère, on dit que c'est un voleur, mais lorsque l'émir lui dérobe la vie, l'émir est honorable. Lorsqu'une femme trahit son mari, on dit qu'elle est adultère, mais lorsque l'émir la fait marcher nue par les rues et la lapide ensuite, l'émir est noble. Il est interdit de répandre le sang, mais qui l'a rendu légal pour l'émir? Prendre l'argent d'un autre est un crime, mais lui prendre la vie est un acte de noblesse. Trahir un mari est une mauvaise action, mais voir lapider les vivants est un superbe spectacle. Rendrons-nous le mal pour le mal en disant que telle est la Loi? Combattrons-nous la corruption par une pire corruption en disant que c'est la Règle? Allons-nous vaincre les crimes par d'autres crimes en disant que c'est la Justice? (9)

Les dons qui découlent de la Justice sont plus grands que ceux qui naissent de la Charité. (13)

LARMES

Celui qui se dessèche et se nettoie
[de ses
Propres larmes demeurera pur pour
[toujours. (7)

Les larmes que vous répandez sont plus pures que le rire de celui qui cherche à oublier, et plus douces que les moqueries du railleur. Ces larmes nettoient le cœur de la souillure de la haine et apprennent à l'homme à partager les peines de ceux qui ont le cœur brisé. Ce sont les larmes du Nazaréen. (13)

L'amour qui est nettoyé par les larmes demeurera éternellement pur et beau. (1)

Les larmes des jeunes gens sont le trop-plein des cœurs remplis. Mais les larmes des vieillards sont le résidu de l'âge qui coule sur leurs joues, les restes de vie dans leurs corps affaiblis. Les larmes dans les yeux des jeunes ressemblent à des gouttes de rosée sur une fleur, mais celles des vieillards sont pareilles aux feuilles d'automne jaunies, emportées et éparpillées par le vent lorsqu'approche l'hiver de la vie. (5)

LIBERTÉ

Je me promenais, solitaire, dans la Vallée des Ombres de la Vie, là où le passé tente de dissimuler sa culpabilité et où l'âme du futur se couche et repose trop longtemps. Là, sur les berges de la Rivière du Sang et des Larmes, qui rampe comme une vipère venimeuse et se tord comme les rêves d'un criminel, j'ai écouté les soupirs effrayés des spectres des esclaves, et j'ai contemplé le néant.

Lorsque vint minuit et que les esprits jaillirent de leurs cachettes, j'ai vu un fantôme cadavérique, mourant, tomber sur les genoux en regardant la lune. Je m'en approchai, et je lui demandai : « Quel est ton nom ? »

« Mon nom est Liberté », répondit l'ombre fantomatique du cadavre.

Et je lui demandai : « Où sont tes enfants ? »

Et la Liberté, faible et toute en larmes, répondit : « L'un est mort sur la Croix, l'autre est mort fou et le troisième n'est pas encore né. »

Elle s'éloigna en clopinant et en continuant à parler, mais le brouillard dans mes yeux et les cris de mon cœur m'empêchèrent de voir ou d'entendre. (7)

Tout sur cette terre vit selon la loi de la nature, et de cette loi jaillit la gloire et la joie de la liberté. Mais ce bonheur est refusé à l'homme car il a édicté pour l'âme donnée par Dieu une loi terrestre et limitée de sa propre invention. Il s'est imposé de strictes règles. L'homme a construit une étroite et pénible prison dans laquelle il a enfermé ses affections et ses désirs. Il a creusé une profonde tombe dans laquelle il a enseveli son cœur et sa résolution. Lorsqu'un individu obéissant aux ordres de son âme, déclare se retirer de la société et viole la loi, ses semblables le traitent de rebelle qui ne mérite que l'exil, ou de créature infâme qu'il faut exécuter. L'homme demeurera-t-il esclave de sa propre réclusion jusqu'à la fin du monde ? Ou se libérera-t-il au fil du temps pour vivre dans l'Esprit de l'Esprit ? L'homme insistera-t-il pour regarder vers la Terre, en bas et derrière lui ? Ou lèvera-t-il les yeux vers le soleil pour ne pas voir l'ombre de son corps parmi les crânes et les épines ? (9)

LIMITATION

Celui qui est limité dans son cœur et dans sa pensée a tendance à aimer celui qui est limité dans sa vie. Celui qui a la vue basse ne voit pas plus loin qu'une coudée sur le sentier qu'il parcourt et pas plus qu'une coudée sur le mur contre lequel il appuie son épaule. (7)

LOI

Qu'est-ce que la Loi ? Qui l'a vue arriver avec le soleil du plus profond des Cieux ? Quel est l'homme qui a vu le cœur de Dieu et saisi sa volonté ou ses desseins ? Dans quel siècle les anges se sont-ils promenés parmi le peuple et ont-ils prêché pour lui en disant : « Interdisez aux faibles de jouir de la vie, tuez les hors-la-loi du tranchant de l'épée, et piétinez les pécheurs avec les pieds d'airain » ? (9)

Êtes-vous un soldat contraint par la rude loi de l'homme d'abandonner femme et enfants et de s'avancer sur le champ de bataille pour le compte de la *Cupidité* que vos dirigeants appellent erronément *Devoir* ?

Êtes-vous un prisonnier enfermé dans un sombre donjon pour quelque offense mineure et condamné par ceux qui cherchent à réformer l'homme en le corrompant ?

Êtes-vous une jeune femme à qui Dieu a donné la beauté, mais qui est devenue la proie des bas instincts des riches qui vous ont trompée, qui ont acheté votre corps mais non votre cœur et qui vous ont abandonnée à la misère et à la détresse ?

Si vous êtes l'un de ceux-là, vous êtes un martyr des lois de l'homme. Vous êtes misérable, et votre misère est le fruit de l'iniquité des forts et de l'injustice des tyrans, de la brutalité des riches et de l'égoïsme des lubriques et des concupiscents. (13)

C'est par sa propre faute que l'homme
[est faible
Car il a refaçonné la loi de Dieu
[en une
Manière étroite de vivre, s'enchaînant
[lui-même
Dans les rudes fers des lois de la
[société qu'il a voulue.

Et il s'obstine à ne pas vouloir
[comprendre
La grande tragédie qu'il a provoquée
[pour lui,
Pour ses enfants et ses petits-enfants.
L'homme a construit sur cette terre
[une prison de rixes
Dont il ne peut plus s'échapper,
Et la misère est son lot volontaire. (10)

LOIS

Les gens disent que je suis l'ennemi des lois justes, des liens de la famille et des vieilles traditions. Ces gens disent vrai. Je n'aime pas les lois faites par l'homme... J'aime la tendresse sacrée et spirituelle qui devrait être la source de toute loi sur la terre, car la gentillesse est l'ombre de Dieu à l'intérieur de l'homme. (4)

La société humaine s'est soumise pendant soixante-dix siècles à des lois corrompues jusqu'à ne plus pouvoir comprendre le sens des lois supérieures et éternelles... La maladie spirituelle se transmet d'une génération à l'autre, jusqu'à ce qu'elle devienne partie intégrante du peuple qui ne la considère plus comme une maladie mais comme un don naturel octroyé par Dieu à Adam. Si ces gens découvraient que quelqu'un n'est pas atteint par les microbes de cette maladie, ils penseraient à lui avec honte et déshonneur. (8)

LOUANGES

Mon âme m'a sermonné et m'a dit : « Ne te réjouis pas des louanges et ne sois pas désespéré par les blâmes ».

Avant qu'elle ne m'ait donné ce conseil, je doutais de la valeur de mon travail.

Maintenant je comprends que les arbres fleurissent au printemps et portent des fruits en été sans chercher les louanges. Et ils laissent tomber leurs feuilles en automne et se dénudent en hiver sans craindre les blâmes. (13)

LUMIÈRE

La vraie lumière est celle qui émane de l'intérieur de l'homme, qui révèle les secrets du cœur et de l'âme, et qui le rend heureux et satisfait de la vie. (9)

MAINS

Comme la vie de celui qui place ses mains entre son visage et le monde est étriquée : il ne voit que les lignes étroites de ses paumes ! (7)

MALADIE

J'ai plaisir à être malade. Ce plaisir diffère de tout autre dans ses effets. J'y ai trouvé une sorte de tranquillité qui me fait aimer la maladie. Le malade est libéré des luttes des hommes, de leurs exigences, de leurs rencontres et de leurs rendez-vous, des bavardages excessifs et de la sonnerie des téléphones... J'ai découvert que j'étais plus près de l'abstraction dans la maladie que dans la santé. Je me sens voler comme un oiseau au-dessus des forêts et des sereines vallées, enveloppé dans un voile de douceur. Je me vois proche de ceux que mon cœur a aimés, je les appelle et je leur parle, sans colère, avec les mêmes sentiments et les mêmes pensées qu'eux. Et de temps à autre, ils posent les mains sur mon front pour me bénir. (8)

MARCHAND

Êtes-vous un marchand qui tire avantage des besoins du peuple, et qui entasse des marchandises pour pouvoir les revendre à des prix exorbitants ? Si oui, vous êtes un réprouvé, et il importe peu que votre maison soit un palais ou une prison.

Ou êtes-vous un honnête homme qui permet au fermier et au tisserand d'échanger leurs produits, qui s'entremet entre le vendeur et l'acheteur et qui, par de justes pratiques, s'octroye à lui et aux autres un honnête profit ?

Si oui, vous êtes un homme droit ; et il importe peu que vous soyez loué ou blâmé. (13)

MARIAGE

Le mariage est l'union de deux divinités afin d'en faire naître une troisième sur la terre. C'est l'union de deux âmes dans un amour profond pour abolir ce qui les sépare. C'est cette unité supérieure qui jaillit d'unités séparées dans les deux esprits. C'est l'anneau d'or d'une chaîne dont le début est un regard et dont la fin est l'Éternité. C'est la pluie pure qui tombe d'un ciel sans tache pour bénir et faire fructifier les champs de la divine Nature. (13)

MÉDECINS

Depuis le commencement du monde, les médecins ont tenté de sauver les gens de leurs désordres. Certains se servaient de couteaux, d'autres de potions, mais la peste continuait à se répandre sans espoir. Je voudrais que le patient soit satisfait de demeurer couché dans son lit crasseux en méditant sur ses maux qui ne cessent pas. Mais au lieu de cela, il tend les mains hors de ses couvertures et agrippe le cou de tous ceux qui viennent le voir, les étouffant jusqu'à la mort. Quelle ironie ! Le méchant malade tue le docteur puis, fermant les yeux, il se dit en lui-même : « C'était un grand médecin ». (7)

MENTEURS

Il existe parmi les gens des meurtriers qui n'ont jamais commis de meurtre, des voleurs qui n'ont jamais volé et des menteurs qui n'ont jamais dit que la vérité. (4)

MÈRE

La mère est tout. Elle est notre consolation dans le chagrin, notre espoir dans la misère, notre force dans la faiblesse. Elle est la source de l'amour, de la sympathie, de la miséricorde et du pardon. Celui qui perd sa mère perd une âme pure qui le bénit et qui le protège sans cesse.

Toute chose dans la nature évoque la mère. Le soleil est la mère de la Terre et la nourrit de chaleur. Il n'abandonne jamais l'univers à la nuit avant d'avoir endormi la terre au chant de la mer et à l'hymne des oiseaux et des rivières. Et cette terre est la mère des arbres et des fleurs. Elle les produit, les nourrit et les élève. Les arbres et les fleurs deviennent les mères aimables des fruits et des graines. Et la mère, prototype de toute existence, est l'esprit éternel, plein de beauté et d'amour. (1)

MIMIQUE

Celui qui répète ce qu'il ne comprend pas ne vaut pas mieux qu'un âne chargé de livres. (13)

MODERNE (femme)

La civilisation moderne a rendu la femme un peu plus sage, mais elle a augmenté ses souffrances à cause des convoitises de l'homme. La femme d'hier était une femme heureuse, mais celle d'aujourd'hui est une misérable maîtresse. Jadis, elle se promenait aveuglément dans la lumière, mais aujourd'hui, elle va les yeux grands ouverts dans l'obscurité. Elle était belle dans son ignorance, vertueuse dans sa simplicité et forte dans sa faiblesse. Aujourd'hui, elle est devenue laide dans son ingénuité, superficielle et sans-cœur dans son savoir. Le jour viendra-t-il où la beauté et la connaissance, l'ingénuité et la vertu, la faiblesse du corps et la force de l'âme se trouveront réunies dans une femme ? (1)

MODERNE (génération)

Cette étrange génération vit entre le sommeil et l'éveil. Elle tient en main le sol du passé et les semences du futur. (1)

MODERNE (poésie)

Oh, esprits des poètes qui nous observez depuis les cieux de l'Éternité, nous montons aux autels que vous avez ornés des perles de vos pensées et des pierres précieuses de vos âmes parce que nous sommes oppressés par le bruit de l'acier et le vacarme des usines. C'est pourquoi nos poèmes sont aussi lourds que des trains de marchandises et aussi agaçants que des sifflets à vapeur.

Et vous, les vrais poètes, pardonnez-nous. Nous appartenons au Nouveau Monde où les hommes courent après les biens matériels. La poésie aussi, aujourd'hui, est un produit de consommation et non un souffle d'immortalité. (13)

MODESTIE

Être modeste lorsqu'on dit la vérité est de l'hypocrisie. (13)

MORT

L'homme est comme l'écume de la mer qui flotte à la surface de l'eau. Lorsque le vent souffle elle disparaît comme si elle n'avait jamais existé. Ainsi, nos vies sont soufflées par la Mort.

La réalité de la Vie est la Vie elle-même, dont le commencement n'est pas dans le sein de la mère, et dont la fin n'est pas dans la tombe. Car les années qui passent ne sont qu'un moment dans la vie éternelle. Et le monde de la matière avec tout ce qu'il contient n'est qu'un rêve comparé au réveil que nous appelons la terreur de la Mort. (13)

L'âme est un embryon dans le corps de
L'homme, et le jour de la mort est le
Jour du réveil, car c'est la
Grande époque du travail et la riche
Heure de la création. (10)

La mort est une fin pour le fils
De la terre, mais pour l'âme c'est le
Commencement, le triomphe de la
[Vie. (10)

La Mort n'enlève que le contact
Et non la conscience de ce qui est bon.
Et celui qui a vécu un printemps
[ou plus
Possède la même vie spirituelle
[que celui
Qui en a vécu vingt. (10)

Un enfant dans le sein de sa mère n'est pas plutôt né qu'il retourne à la terre. Tel est le destin de l'homme, et celui des nations, du soleil, de la lune et des étoiles. (5)

MOTS

La Sagesse n'est pas dans les mots
La Sagesse est dans le sens qu'ils
[contiennent. (4)

MOYEN-ORIENT

Au Moyen-Orient, il existe aujourd'hui deux courants d'idées qui se défient : les vieilles et les nouvelles.

Les vieilles idées disparaîtront parce qu'elles sont faibles et sans contenu.

Au Moyen-Orient se produit un renouveau qui défie l'assoupissement. Ce renouveau vaincra parce que le soleil est son guide et l'aube son armée...

À l'horizon du Moyen-Orient, le renouveau se lève, il grandit, il s'étend. Il atteint toutes les âmes sensibles et intelligentes et les entraîne dans son tourbillon. Il pénètre les cœurs nobles et force leur sympathie.

Aujourd'hui, le Moyen-Orient a deux maîtres : l'un décide, ordonne, se fait obéir. Mais il est au seuil de la mort.

Mais l'autre reste silencieux, se conforme à la loi et à l'ordre, et il attend calmement l'avènement de la Justice. C'est un géant puissant qui connaît sa force, qui est confiant dans son existence et qui croit à son destin. (4)

MUSIQUE

Lorsque Dieu a créé l'homme, il lui a donné la musique comme un langage différent de tous les autres. Et l'homme primitif chantait sa gloire dans la nature sauvage. Et elle entraînait le cœur des Rois et les éloignait de leurs trônes. (13)

La plainte de la flûte est plus divine
Que la coupe d'or qui contient un vin
[rouge et profond. (10)

Dieu a créé la musique comme un langage commun à tous les hommes. Elle inspire les poètes, les compositeurs et les architectes. Elle nous incite à fouiller nos âmes pour y trouver la signification des mystères décrits dans les livres anciens.

NATURE

> Dans le désert, il n'existe ni credo
> Ni odieuse incrédulité.
> Et les oiseaux chanteurs ne sont jamais
> [affirmatifs
> À propos de la Vérité, de la Joie ou
> [du Chagrin. (3)

Lorsque je commençai à dessiner et à peindre, je ne me suis pas dit : « Vois, Khalil Gibran ! Tu as devant toi toutes sortes de systèmes artistiques : le classique, le moderne, l'impressionisme, le symbolisme et d'autres encore. Choisis l'un d'eux. » Je n'ai rien fait de pareil. J'ai simplement découvert que ma plume et mon pinceau se souvenaient d'eux-mêmes de mes pensées, de mes émotions et de mes fantasmes. Certains croient que l'art consiste à imiter simplement la nature. Mais la Nature est bien trop grande et bien trop subtile pour pouvoir être imitée avec succès. Aucun artiste ne pourrait reproduire la moindre des étonnantes et miraculeuses créations de la Nature. De plus, quel intérêt y aurait-il à imiter la Nature alors qu'elle est tellement ouverte et accessible à tous ceux qui peuvent voir et entendre ? Le propre de l'art, c'est plutôt de comprendre la Nature et d'en révéler la signification à ceux qui sont incapables de la comprendre. C'est de dégager l'âme d'un arbre plutôt que de produire une fructueuse ressemblance. C'est de révéler la conscience de la mer, non de reproduire des tas de vagues écumantes ou un océan d'eau bleue. La mission de l'art est de tirer des choses les plus familières ce qui n'est pas familier.

Ayez pitié de l'œil qui ne voit dans le soleil qu'un calorifère pour le réchauffer et une torche pour éclairer son chemin entre son domicile et son bureau. C'est un œil aveugle, même s'il peut distinguer une mouche à un mille de distance. Ayez pitié de l'oreille qui n'entend, dans le chant du rossignol, qu'une succession de notes. C'est une oreille sourde, même si elle est capable d'entendre marcher les fourmis dans leurs labyrinthes souterrains. (2)

La Nature nous tend ses bras accueillants, et elle nous invite à nous réjouir de sa beauté. Mais nous craignons son silence, et nous nous précipitons dans des villes encombrées où nous nous entassons comme des moutons qui fuient le loup féroce. (13)

Pour la Nature, tous sont vivants et
[tous sont
Libres. La gloire terrestre de l'homme
[est un

Rêve vide, qui s'évanouit avec les
[bulles
Dans le lit caillouteux du ruisseau. (10)

(la) NATURE ET (l') HOMME

J'ai entendu le ruisseau se lamenter comme une veuve pleurant son enfant mort et je lui ai demandé : « Pourquoi pleures-tu, mon pur ruisseau ? ».

Et le ruisseau répondit : « Parce que je suis contraint d'aller à la ville où l'Homme me méprise, me rejette pour des boissons plus fortes, se sert de moi pour nettoyer ses crasses, pollue ma pureté et change en saleté ma bonne apparence. »

Et j'ai entendu gémir les oiseaux et j'ai demandé : « Pourquoi pleurez-vous, mes beaux oiseaux ? » L'un d'eux vola vers moi, se percha au sommet d'une branche et dit : « Les fils d'Adam viendront bientôt dans ce champ avec leurs armes de mort, et ils vont nous faire la guerre comme si nous étions leurs plus mortels ennemis. En ce moment, nous prenons congé les uns des autres, car nous ignorons qui d'entre nous échappera à la colère des hommes. La mort nous suit partout où nous allons. »

Alors, le soleil monta derrière le sommet des montagnes et orna de guirlandes la cîme des arbres. Je contemplai toute cette beauté et me demandai : « Pourquoi l'Homme doit-il détruire ce que la Nature a bâti ? ». (13)

NEW YORK

Celui qui désire vivre à New York doit être un glaive affilé dans un fourreau de miel. Le glaive lui servira à repousser ceux qui cherchent à tuer le temps, et le miel à satisfaire leur faim. (8)

OBSCURITÉ

Dieu vous a accordé l'intelligence et le savoir. Ne laissez pas s'éteindre la lampe de la Grâce Divine ni mourir la chandelle de la Sagesse dans l'obscurité de la convoitise et de l'erreur. Car un homme sage s'avance avec sa torche pour éclairer le sentier du genre humain. (13)

ŒIL

J'éprouve de la pitié envers ceux qui admettent l'éternité des éléments dont l'œil est fait, mais qui, dans le même temps, doutent de l'éternité des objets visibles qui utilisent l'œil comme instrument. (7)

L'œil de l'homme est un verre grossissant : il lui montre la terre beaucoup plus grande qu'elle n'est. (4)

OMBRE

Comme ils sont injustes envers eux-mêmes ceux qui tournent le dos au soleil et ne voient rien d'autre sur terre que l'ombre de leur être physique ! (7)

OPPORTUNITÉ

Celui qui essaie de saisir l'occasion après qu'elle soit passée est comme celui qui la voit arriver mais ne s'avance pas à sa rencontre. (13)

OPPRESSION

Malheur à la nation qui reçoit ses conquérants au son du tambour ! Malheur à la nation qui hait l'oppression dans son sommeil mais l'accepte quand elle est éveillée ! Malheur à la nation qui n'élève la voix que derrière un cercueil et qui n'est fière d'elle que dans un cimetière ! Malheur à la nation qui ne se révolte que lorsqu'elle a la tête sur le billot. (4)

OR

L'or mène à l'or, puis à la nervosité, et enfin à une écrasante misère. (11)

La vie que le riche consacre à amasser de l'or est, en vérité, comme la vie des vers dans la tombe : elle est un signe de crainte.

ORIENT

Les peuples de l'Orient demandent que l'écrivain soit comme l'abeille toujours occupée à faire du miel. Ils sont avides de miel et le préfèrent à toute autre nourriture.

Les peuples de l'Orient souhaitent que leur poète se consume comme de l'encens devant leurs sultans. Le ciel d'Orient est saturé d'encens, et cependant, les peuples d'Orient n'en ont pas encore assez...

Les guérisseurs sociaux sont nombreux en Orient, et ils ont de nombreux malades qui ne sont pas guéris, mais qui semblent débarrassés de leurs maladies parce qu'ils sont sous l'effet des narcotiques sociaux. Mais ces tranquillisants ne masquent que les symptômes.

De tels narcotiques sont distillés par diverses sources, mais la principale est la philosophie orientale de soumission au Destin (l'acte de Dieu). (13)

PACIFISME

Prenez garde au dirigeant qui dit : « L'amour de l'existence nous oblige à priver le peuple de ses droits ! » Je n'ai qu'une chose à vous dire : La protection des droits d'autrui est la plus belle et la plus noble des actions humaines. Si mon existence m'oblige à tuer les autres, alors la mort m'est plus honorable, et si je ne peux trouver personne pour me tuer afin de protéger mon honneur, je n'hésiterai pas à sacrifier ma vie de mes propres mains pour le salut de l'Éternité avant qu'elle n'arrive. (11)

PAIX

Aurons-nous la paix sur la Terre tant que les fils de misère peineront comme des esclaves dans les champs afin de nourrir les forts et de remplir l'estomac des tyrans ? La paix viendra-t-elle jamais pour les sauver des griffes de l'indigence ?

Qu'est-ce que la paix ? Est-elle dans les yeux de ces enfants qui se nourrissent aux seins désséchés de leurs mères mal nourries, dans des huttes glaciales ? Ou est-elle dans les cahutes en ruines des affamés qui dorment sur la dure et qui soupirent après une seule bouchée de la nourriture que les prêtres et les moines distribuent à leurs gros cochons ? (7)

PARENTÉ

Celui qui vous comprend est un plus proche parent que votre propre frère. Car vos proches peuvent ne pas vous comprendre et ne pas connaître votre vraie valeur. (13)

PAROLES

J'en ai assez des jacasseurs et de leur bagout. Mon âme les abhorre...

Existe-t-il dans l'Univers un coin où je puisse vivre tout seul dans le bonheur ?

Existe-t-il un endroit qui ne soit pas encombré de propos creux ?

Y a-t-il sur cette terre un homme qui ne s'écoute pas complaisamment parler ?

Parmi toutes ces personnes, y en a-t-il une dont la bouche ne soit pas une cachette pour Monsieur Bavardage ? (13)

(le) PASSÉ ET (le) FUTUR

Je vous dis que les enfants des années révolues marchent dans la procession funéraire de l'époque qu'ils se sont façonnée. Ils s'accrochent à une corde pourrie qui pourrait bientôt se briser et qui les précipitera dans un abîme sans fond. Je dis qu'ils vivent dans des maisons dont les fondations sont fragiles. Lorsque la tempête s'élèvera — et elle s'élèvera bientôt — leurs maisons s'écrouleront sur leurs têtes et deviendront leurs tombeaux. Je dis que toutes leurs pensées, tous leurs discours, toutes leurs disputes, leurs œuvres, leurs livres et tout ce qu'ils ont réalisé ne sont que des chaînes qui les entraînent parce qu'ils sont trop faibles pour en supporter la charge.

Mais les enfants de demain sont appelés par la vie, et ils la suivent d'un pas ferme, la tête haute ; ils sont à l'aube des frontières nouvelles ; aucune fumée ne voilera leurs yeux et le tintement des chaînes ne couvrira pas leur voix.

Ils sont peu nombreux, mais la différence est la même qu'entre un grain de blé et une meule de foin. Personne ne les connaît, mais ils se connaissent entre eux. Ils sont comme les sommets qui peuvent se voir et s'entendre les uns les autres, pas comme les grottes qui ne voient ni n'entendent. Ils sont la semence lancée dans le champ par la main de Dieu. Elle jaillira de sa cosse et agitera à la face du soleil ses feuilles pleines de sève. Elle deviendra un arbre puissant dont les racines s'enfoncent dans le cœur de la terre et dont les branches se dressent vers le ciel. (4)

PATRIOTE

Êtes-vous un politicien qui se dit : « Je vais utiliser mon pays à mon profit » ? Si oui, vous n'êtes qu'un parasite qui vit sur la chair des autres. Ou êtes-vous un patriote dévoué qui se murmure au plus profond de lui-même : « J'adore servir mon pays en serviteur fidèle » ? Si oui, vous êtes une oasis dans le désert, prête à étancher la soif du voyageur. (13)

PATRIOTISME

Qu'est-ce que ce devoir qui sépare les amants, qui rend les femmes veuves et les enfants orphelins ? Qu'est-ce que ce patriotisme qui provoque les guerres et qui détruit des royaumes pour des vétilles ? Et y a-t-il cause plus négligeable si on la compare ne serait-ce qu'à une seule vie ? Quel est ce devoir qui entraîne de pauvres villageois, que les forts et les enfants de la noblesse héréditaire tiennent pour moins que rien, à mourir pour la gloire de leurs oppresseurs ? Si le devoir détruit la paix entre les nations, si le patriotisme trouble la tranquillité de la vie de l'homme, alors disons : « Que le devoir et le patriotisme reposent en paix ! ». (7)

J'ai de la tendresse pour mon beau pays, et j'adore ses habitants à cause de leur misère. Mais si mon peuple se levait, stimulé par l'attrait du pillage et poussé au meurtre par ce qu'ils appellent « l'esprit patriotique », s'il envahissait le pays voisin, s'il commettait toutes sortes d'atrocités humaines, alors je le haïrais, et je haïrais mon pays. (11)

PAUVRE

Tous les pauvres ne sont pas méprisés.
La richesse du monde est un quignon
[de pain et un manteau. (4)

PAUVRETÉ

Pauvre, mon frère, la pauvreté met en valeur la noblesse de l'esprit alors que la richesse en découvre le mal. Le chagrin adoucit les sentiments, et la Joie guérit les cœurs blessés. Là où le Chagrin et la Pauvreté n'existent plus, l'esprit de l'homme n'est qu'une tablette vide, sans autre inscription que les signes de l'égoïsme et de l'avidité. (13)

Mon pauvre ami, si tu pouvais seulement savoir que la Pauvreté qui te rend si malheureux est précisément ce qui révèle la connaissance de la Justice et la compréhension de la Vie, tu serais satisfait de ton sort.

Je dis « connaissance de la Justice », car le riche est trop occupé à amasser sa fortune pour rechercher cette connaissance.

Et je dis « compréhension de la Vie », car le fort est trop occupé à conquérir le pouvoir et la gloire pour rester dans le droit chemin de la vérité.

Aussi, mon pauvre ami, réjouis-toi, car tu es la bouche de la Justice et le livre de la Vie. Sois satisfait, car tu es la source de la vertu pour ceux qui te gouvernent et le pilier de la justice pour ceux qui te guident. (13)

PÉCHÉ

La perfection n'est pas pour une âme
[pure.
Il peut y avoir de la vertu dans le
[péché. (4)

PÈLERINAGE

Pour chaque semence que l'automne laisse tomber dans le giron de la terre, il existe une manière différente de séparer la cosse de la pulpe. Alors se créent les feuilles, puis les fleurs, puis les fruits. Mais quelle que soit la manière dont ceci se passe, ces plantes doivent entreprendre un pèlerinage solitaire et leur mission est de se dresser devant la face du soleil. (7)

PERPÉTUITÉ

Je suis chagriné par celui qui contemple les montagnes et les plaines sur lesquelles le soleil darde ses rayons, qui écoute la brise murmurer la chanson des fines branches, qui respire le parfum des fleurs et du jasmin et qui se dit en lui-même : « Non... Ce que je vois, ce que j'entends passera, ce que je sais, ce que je sens s'évanouira. » Cette âme simple, qui voit et qui contemple avec respect les joies et les tristesses qui l'entourent et qui nie ensuite la perpétuité de leur existence, s'évanouira elle-même comme une vapeur dans l'air, et elle disparaîtra, car elle cherche l'obscurité en tournant le dos à la vérité. En vérité, c'est une âme vivante qui nie sa propre existence, car elle nie toutes les autres choses de Dieu qui existent sur la terre. (7)

PERPLEXITÉ

La perplexité est le commencement de la connaissance. (13)

PERSÉCUTION

La persécution n'atteint pas celui qui proclame la Vérité. Socrate n'a-t-il pas été, dans son corps, une fière victime ? Paul n'a-t-il pas été lapidé pour le salut de la Vérité ? C'est notre moi interne qui souffre quand nous désobéissons et qui nous tue quand nous trahissons. (7)

PHILOSOPHIE

Au fond de l'âme, il existe un profond désir qui entraîne l'homme du visible à l'invisible, à la philosophie et au divin. (4)

POÉSIE

La poésie, mon cher ami, est l'incarnation sacrée d'un sourire. La poésie est un soupir qui sèche les larmes. La poésie est un esprit qui s'installe dans l'âme, dont le cœur est la nourriture et le vin l'affection. La poésie qui ne se présente pas sous cette forme est un faux Messie. (13)

Si les esprits d'Homère, de Virgile, d'Al-Maary et de Milton avaient su que la poésie deviendrait le chien de compagnie des riches, ils auraient abandonné un monde dans lequel une telle chose peut se produire. (13)

POÈTE

Poète, tu es la vie de cette vie et tu as
Triomphé des âges malgré leur sévérité.

Poète, un jour tu dirigeras les cœurs et
C'est pourquoi ton Royaume est sans
[fin.

Poète, examine ta couronne d'épines;
[et tu verras
Qu'en elle se cache une vivante
[couronne de lauriers. (11)

Êtes-vous un poète plein de bruit et de sons creux? Si oui, vous êtes comme ces saltimbanques qui nous font rire quand ils pleurent et qui nous font pleurer quand ils rient.

Ou êtes-vous l'une de ces âmes comblées dans les mains de qui Dieu a placé une viole pour apaiser les esprits par une musique céleste et amener ses semblables près de la Vie et de sa Beauté? Si oui, vous êtes une torche qui éclaire notre route, une douce aspiration dans nos cœurs et la révélation du divin dans nos rêves. (13)

Les poètes sont des êtres malheureux car, si haut que montent leurs esprits, ils n'en restent pas moins enfermés dans une enveloppe de larmes. (1)

POSSESSION

Un amour borné demande à posséder l'être aimé, mais celui qui est illimité ne recherche que lui-même. (1)

PREMIER AMOUR

Chaque jeune homme se souvient de son premier amour et tente de revivre cette heure étrange dont le souvenir change ses sentiments les plus profonds et le rend tellement heureux en dépit de toute l'amertume de son mystère. (1)

PRIÈRE

La prière est un chant du cœur. Elle arrive aux oreilles de Dieu, même si elle est mêlée aux cris et au tumulte d'un millier d'hommes. (5)

PRINTEMPS

Au cœur de chaque hiver, il y a un printemps frémissant, et derrière le voile de chaque nuit, il y a une aube souriante. (8)

PRÊCHE

Combien pénible est le prêche du fortuné au cœur du misérable ! Et combien le fort est sévère lorsqu'il s'avise de donner des conseils aux faibles ! (7)

PRÊTRE

Le prêtre est un traître qui utilise les Écritures comme une menace pour vous prendre votre argent... un hypocrite qui porte la crosse et s'en sert comme d'une épée pour vous couper les veines... un loup sous une peau d'agneau... un glouton qui a plus de respect pour la table que pour l'autel... une créature affamée d'or qui suit le Dinar jusqu'aux pays les plus lointains... un tricheur qui vole les veuves et les orphelins. C'est un être étrange, avec un bec d'aigle, des griffes de tigre, des dents d'hyène et une robe de vipère. Enlevez-lui sa Bible, déchirez ses vêtements, arrachez-lui la barbe et faites de lui ce que vous voulez. Puis mettez-lui un Dinar dans la main et il vous remerciera en souriant. (9)

Lorsqu'un villageois doute de la sainteté du prêtre, il s'entend répondre : « N'écoute que son enseignement et oublie ses faiblesses et ses méfaits. » (13)

PROFESSEUR

Que quiconque veut être le professeur des hommes commence par s'instruire lui-même avant d'enseigner aux autres. Et qu'il enseigne par l'exemple avant d'enseigner par le verbe. Car celui qui s'instruit lui-même et qui rectifie sa propre manière de vivre est plus digne de respect et de vénération que celui qui enseigne aux autres comment changer leur manière de se comporter. (2)

PROGRÈS

Le progrès ne consiste pas seulement à améliorer le passé : c'est aller de l'avant vers le futur. (4)

PROPHÈTE

Le Prophète arrive
Drapé dans le manteau des pensées
[futures
Au milieu de gens vêtus d'antiques
[costumes
Qui ne voient pas le don qu'il leur
[apporte.
Il est étranger à cette vie,
Étranger à ceux qui louent ou qui
[blâment
Car il brandit le Flambeau de la Vérité
Quoiqu'il soit dévoré par la flamme. (3)

RAISON

Lorsque la Raison vous parle, écoutez ce qu'elle dit, et vous serez sauvé. Faites bon usage de ses propos et vous serez armé. Car le Seigneur ne vous a pas donné de meilleur guide que la Raison, pas de bras plus puissant que la Raison. Lorsque la Raison vous parle au plus profond du cœur, vous êtes protégé contre le Désir. Car la Raison est un ministre prudent, un guide loyal et un sage conseiller. La Raison, c'est la lumière dans l'obscurité, comme la fureur est l'obscurité dans la lumière. Soyez sages : laissez-vous guider par la Raison, non par vos impulsions. (13)

RÉBELLION

La Vie sans Révolte, c'est comme les saisons sans le Printemps. Et la Révolte sans le Droit, c'est comme le Printemps dans un désert aride... La Vie, la Révolte et le Droit sont une trinité qui ne peut être changée ni séparée. (13)

Dieu vous a-t-il donné le souffle de la Vie pour le placer sous les pas de la mort ? Nous a-t-il donné la liberté pour en faire l'ombre de l'esclavage ? Celui qui éteint de ses propres mains le feu de son esprit est un infidèle aux yeux du Ciel, car c'est le Ciel qui nous a donné le feu qui brûle dans notre esprit. Celui qui ne se révolte pas contre l'oppression se soumet lui-même à l'injustice. (1)

REGRET

Ne soyez pas comme celui qui, assis à côté du feu, le regarde s'éteindre et souffle ensuite en vain sur des cendres mortes. N'abandonnez pas l'espérance, ne vous laissez pas aller au désespoir à cause de ce qui est passé, car se lamenter sur l'irréparable est la pire des faiblesses humaines. (13)

RÉJOUISSANCE

La vie n'est pas seulement une
[réjouissance ;
La vie, c'est le désir et la
[détermination. (4)

RELIGION

Si nous pouvions nous débarrasser des différentes religions, nous nous trouverions unis dans une grande foi religieuse, pleine de fraternité. (7)

La religion est un champ bien labouré
Planté et irrigué par le désir
De quelqu'un qui aspire au Paradis

Ou de quelqu'un qui craint l'Enfer et
[le Feu.
Oui, si ce n'était que pour faire les
[comptes
À la résurrection, ils n'auraient pas
Adoré Dieu, et ne se seraient pas
[repentis
Sinon pour obtenir un sort meilleur,
Comme si la Religion était un élément
Commercial dans leurs tractations
[quotidiennes;
En la négligeant, ils sont en perte,
Et en profit s'ils persévèrent. (3)
Pour l'homme, la religion est comme
[un champ
Car il est planté d'espoir et cultivé
Par un ignorant qui tremble
Dans la peur du feu de l'Enfer; ou il
[est
Ensemencé par celui qui tire sa force
D'une vaine richesse et qui considère
[la religion
Comme une sorte de troc, cherchant
[sans cesse
Son profit dans les récompenses
[terrestres.
Mais leurs cœurs sont perdus malgré
Leurs palpitations, et les produits
[de leur
Culture spirituelle ne sont

Que les mauvaises herbes de la
[Vallée. (10)

RENOMMÉE

Il y a quelque chose de plus noble et de plus grand dans notre vie que la renommée. Et ce *quelque chose*, ce sont les hauts faits qui la provoquent. (8)

REPENTIR

Le Paradis n'est pas dans le repentir.
Le Paradis est dans un cœur pur. (4)

RICHESSE

La richesse n'est pas seulement dans
[l'argent.
Combien de vagabonds n'ont-ils pas été
[les plus riches des hommes ? (4)

RIRES ET LARMES

Je n'échangerais pas le rire de mon cœur contre la fortune des foules. Et je n'éprouverais aucune satisfaction à transformer en apaisement les larmes provoquées par l'agonie de mon moi. Mon plus fervent espoir est que toute ma vie sur cette terre soit faite de rires et de larmes. (10)

ROSSIGNOL

Le rossignol ne construit pas son nid dans une cage, de peur que l'esclavage ne devienne le lot de ses petits. (1)

ROYAUME DES CIEUX

Les croyances et les enseignements qui rendent l'homme malheureux sont vains, et fausse est la bonté qui le conduit au chagrin et au désespoir. Le destin de l'homme est d'être heureux sur cette terre, d'ouvrir la voie vers le bonheur et de prêcher la bonne nouvelle où qu'il aille. Celui qui ne voit pas le Royaume des Cieux dans cette vie ne le trouvera pas dans la vie future. Ce n'est pas l'exil qui nous a conduits dans cette vie. Nous y sommes venus en innocentes créatures de Dieu pour apprendre comment adorer l'Esprit Saint éternel et chercher dans la beauté de la vie les secrets qui sont cachés en nous. (9)

ROYAUMES

Les humains se divisent en clans et en tribus, ils appartiennent à des pays et à des villes. Mais je me sens étranger à toute communauté et je n'appartiens à aucun établissement. L'Univers est mon pays et la famille humaine est ma tribu.

Les hommes sont faibles, et il est triste qu'ils soient divisés. Le monde est petit, et il est peu sage de le partager en royaumes, en empires et en provinces. (11)

SAGESSE

L'homme sage est celui qui aime et qui révère Dieu. Le mérite d'un homme réside dans sa connaissance et dans ses actes, pas dans sa couleur, sa foi, sa race ou sa descendance. Car souviens-t'en, mon ami, le fils d'un berger qui possède la connaissance a plus de valeur pour la nation que l'héritier du trône s'il est ignorant. La connaissance t'apporte tes véritables quartiers de noblesse, et il importe peu de savoir qui est ton père ou quelle est ta race. (13)

Tenez-moi à l'écart de la sagesse qui ne pleure pas, de la philosophie qui ne rit pas et de la grandeur qui ne s'incline pas devant les enfants. (4)

SAVOIR POPULAIRE

Le savoir du peuple aujourd'hui
Est un brouillard sur les champs.
Lorsque le soleil montera à l'horizon
Ses rayons dissiperont la brume. (3)

SCIENCE

Tout autour de moi, il y a des nains qui voient se dresser des géants, et ces nains coassent comme des grenouilles :

« Le monde est retourné à la sauvagerie. Ce qu'ont créé la science et l'éducation est détruit par les nouveaux primitifs. Nous sommes redevenus les hommes préhistoriques des cavernes. Rien ne nous distingue d'eux sinon nos machines de destruction et nos techniques de massacre améliorées. »

Ainsi parlent ceux qui mesurent la conscience du monde à l'aune de la leur. Ils mesurent l'étendue de toute Existence par l'espace infime qu'occupe leur individu. Comme si le soleil n'existait que pour les réchauffer, comme si la mer avait été créée pour qu'ils puissent se laver les pieds. (13)

SECRETS

Mon cœur, garde secret ton amour et caches-en le secret à ceux que tu vois. Tu en auras meilleure fortune.

On dit qu'il faut être fou pour révéler un secret. Le silence et la discrétion conviennent mieux à celui qui tombe amoureux. (4)

SÉGRÉGATION

Un Dieu plein de bonté ne connaît pas de ségrégation parmi les noms et les mots, et s'il y avait un Dieu pour refuser sa bénédiction à ceux qui suivent une voie différente pour atteindre l'éternité, aucun humain ne devrait lui offrir son adoration. (7)

SEMENCES

La semence que
La datte mûre contient en son
Cœur est le secret du palmier
Depuis le commencement de toute la
[création. (10)

SENS

Combien sont ignorants ceux qui voient, sans aucun doute, l'existence abstraite avec *certains* de leurs sens, mais veulent continuer à douter jusqu'à ce que l'existence se révèle à *tous* leurs sens ! La foi n'est-elle pas le sens du cœur aussi sûrement que la vue est le sens de l'œil ? Et qu'il a l'esprit étroit celui qui entend le chant du merle et le voit sauter de branche en branche, mais doute de ce qu'il entend et de ce qu'il voit tant qu'il n'a pas saisi l'oiseau entre ses mains. Une *partie* de ses sens ne lui suffisait-elle pas ? Comme il est bizarre celui qui rêve véritablement d'une belle réalité et puis, lorsqu'il essaie de lui donner forme sans y arriver, doute de son rêve, blasphème la réalité et se méfie de la beauté ! (7)

SEXE

Les êtres les plus attachés au sexe sur cette planète sont les créateurs, les poètes, les sculpteurs, les peintres, les musiciens... et il en est ainsi depuis le commencement des temps. Pour eux, le sexe est une chose superbe et exaltante. Le sexe est toujours beau, et il est toujours timide. (4)

SILENCE

Une grande vérité qui dépasse la Nature ne se transmet pas d'un être à un autre par la voie du discours humain. La Vérité choisit le Silence pour transmettre son message aux âmes aimantes. (13)

Il est quelque chose de plus grand et de plus pur que ce que profère la bouche. Le silence illumine nos âmes, murmure à nos cœurs et les unit. Le silence nous sépare de nous-mêmes, il nous fait traverser le firmament de l'esprit et nous rapproche du Ciel. Il nous fait comprendre que nos corps ne sont que des prisons et que ce monde n'est qu'un lieu d'exil. (1)

SINCÉRITÉ

À plusieurs reprises, j'ai comparé la noblesse du sacrifice et la joie de la révolte pour découvrir laquelle des deux est la plus noble et la plus belle. Mais jusqu'à présent, je n'ai pu dégager qu'une seule vérité de tout cela, c'est la sincérité qui rend toutes nos actions belles et honorables. (1)

SITUATION

La grandeur ne se trouve pas dans une
[belle situation.
La grandeur est pour celui qui la
[refuse. (4)

SOI

L'homme a reçu de Dieu le pouvoir d'espérer, et d'espérer fermement jusqu'à ce que l'objet de son espoir lui ôte des yeux le voile de l'oubli. Ainsi, il pourra finalement contempler son véritable *moi*. Et celui qui voit son véritable *moi* voit pour lui-même, pour toute l'humanité et pour toutes choses, la vérité de la vie réelle. (7)

Il est vain, pour le voyageur, de frapper à la porte d'une maison vide. L'homme se tient, muet, entre la non-existence qui est en lui et la réalité de ce qui l'entoure. Si nous ne possédions pas ce que nous avons en nous, nous ne pourrions avoir tout ce que nous appelons notre environnement. (7)

SOI (Connaissance de —)

Connais ta véritable valeur, et tu ne périras pas. La Raison est ta lumière et ton flambeau de

Vérité. La Raison est la source de la Vie. Dieu t'a donné la Connaissance de sorte que, grâce à sa lumière, tu puisses non seulement l'adorer, mais aussi te voir toi-même dans ta faiblesse et dans ta force. (13)

SOI (Expression de —)

N'est-il pas vrai que chaque fois que nous dessinons la Beauté nous faisons un pas de plus vers elle ? Et que chaque fois que nous écrivons la Vérité, nous ne faisons qu'un avec elle ? Ou proposez-vous de museler les poètes et les artistes ? L'expression de soi n'est-elle pas un besoin profondément ancré dans l'âme humaine ? (2)

SOBRIÉTÉ

Peu de gens sur cette terre savourent
[la vie
Sans être agacés par ses dons généreux,
Ou sans détourner ses flots dans des
[coupes
Où leur imagination flotte à la dérive.

Si vous deviez trouver une âme sobre
Parmi toutes ces orgies,
Demandez-vous comment une lune
A pu se faire un baldaquin dans ce
[nuage de Pluie. (3)

SOCIÉTÉ

La Société
N'est faite que de cris, de malheurs
Et de combats. Elle n'est que la toile
De l'araignée, la galerie de la
[taupe. (10)

SOIF

La soif de l'âme est plus douce que le vin des biens de ce monde, et la crainte de l'esprit est plus chère que la sécurité du corps.

SOLITUDE

L'esprit chagrin trouve le repos dans la solitude. Il abhorre la compagnie des gens comme le daim blessé quitte le troupeau et se terre dans une grotte jusqu'à ce qu'il soit guéri ou mort. (1)

La solitude a de douces mains soyeuses mais de ses doigts puissants, elle presse le cœur et le fait souffrir de tristesse. La solitude est l'alliée du chagrin, mais aussi la compagne de l'exaltation spirituelle. (1)

Ta vie, mon frère, est une habitation solitaire séparée des autres demeures des hommes. C'est une maison à l'intérieur de laquelle ne peut pénétrer le regard d'aucun voisin. Si elle était dépourvue de provisions, les réserves de tes voisins ne pourraient la remplir. Si elle se trouvait dans le désert, tu ne pourrais la déplacer dans les jardins des autres, qui ont été labourés et plantés par d'autres mains. Si elle était au sommet d'une montagne tu ne pourrais la faire descendre dans la vallée foulée par les pieds d'autres hommes.

La vie de ton esprit, mon frère, est cernée par la solitude, et s'il n'y avait cet isolement et cette solitude, tu ne serais pas *toi* et je ne serais pas *moi.* S'il n'y avait cet isolement et cette solitude j'en arriverais à croire, en écoutant ta voix, qu'il s'agit de ma voix, et en regardant ton visage, que je me regarde dans un miroir. (13)

SOMMEIL

La vie n'est qu'un sommeil troublé
Par les rêves et mené par la volonté;
L'âme chagrine cache ses secrets
Dans la tristesse et l'âme gaie dans
[un frémissement. (3)

SOUMISSION

Les hommes, même s'ils sont nés libres, resteront les esclaves des strictes lois promulguées par leurs ancêtres; et le firmament, dont nous croyons qu'il ne change pas, est l'aspiration d'aujourd'hui vers la volonté de demain, et la soumission d'hier à la volonté d'aujourd'hui. (1)

SOUVERAIN

Entre le sévère regard du tigre et le sourire du loup, le troupeau est en péril. Le souverain se déclare le maître de la loi et le prêtre le représentant de Dieu. Et entre eux deux, les corps sont broyés et les âmes réduites à rien. (9)

SPIRITUALITÉ

Le temps et le lieu sont des états spirituels ; tout ce qui se voit et tout ce qui s'entend est spirituel. Si tu fermes les yeux, tu percevras toutes choses à travers les profondeurs de ton moi intérieur, tu verras le monde physique et céleste dans son intégralité, tu feras connaissance de ses lois et de ses préceptes nécessaires, tu comprendras la grandeur qu'il contient au-delà de sa proximité. (7)

STÉRILITÉ

Combien de fleurs
Sont privées de parfum dès le jour
De leur naissance ! Combien de nuages
Se rassemblent dans le ciel, vides de [pluie,
Avares de perles ! (10)

SYMPATHIE

La sympathie qui touche le cœur du voisin est plus essentielle que la vertu cachée dans les coins invisibles du couvent. Un mot de compassion adressé au faible criminel ou à la prostituée est plus noble que la longue et vide prière que nous répétons chaque jour au temple. (9)

TEMPS

Le monde n'est qu'un vignoble
Dont l'hôte et le maître, notre Père
[le Temps,
Ne pourvoit aux besoins que de ceux
Qui s'enfoncent dans des rêves
[discordants et sans rime.

Car les gens boivent et courent comme
S'ils étaient les coursiers d'un désir
[insensé.
Ainsi, certains braillent lorsqu'ils prient
Et d'autres sont forcenés dans leur
[désir de possession. (3)

Les gens de la ville
Abusent du vin du Temps,
Car ils le considèrent comme un temple
Et le boivent facilement et
Sans discernement. Et ils fuient,
Courant à pas précipités vers les
[Temps révolus
Dans une profonde tristesse pleine
[d'ignorance. (10)

Comme le Temps est étrange, et comme nous sommes bizarres ! Le Temps a vraiment changé et voilà qu'il nous a changés aussi. Il s'est avancé d'un pas, s'est découvert le visage, nous a effrayés puis nous a transportés.

Hier, nous nous plaignions du Temps et nous tremblions devant ses terreurs. Mais aujourd'hui, nous avons appris à l'aimer et à le révérer, car nous savons maintenant quelles sont ses intentions, ses dispositions naturelles, ses secrets et ses mystères.

Hier, nous rampions de terreur comme des esprits tremblants entre les craintes de la nuit et les menaces du jour. Mais aujourd'hui, nous marchons joyeusement vers le sommet de la montagne, la demeure de la violente tempête et le lieu de naissance du tonnerre...

Hier, nous honorions des faux prophètes et des sorciers. Mais aujourd'hui, le Temps a changé, et voilà qu'il nous a changés aussi. Maintenant, nous pouvons regarder le soleil en face et écouter les chants de la mer. Et il faudrait un cyclone pour nous secouer.

Hier, nous abattions les temples de nos âmes et avec leurs décombres, nous construisions des tombes pour nos aïeux. Mais aujourd'hui, nos âmes sont devenues des autels sacrés que les fantômes du passé ne peuvent atteindre et que les doigts décharnés des morts ne peuvent toucher.

Nous étions une pensée silencieuse cachée dans les coins de l'Oubli. Aujourd'hui, nous sommes une voix forte qui peut faire résonner le firmament. (13)

TERRE

La terre qui ouvre grande la bouche pour avaler l'homme et ses œuvres sauve nos âmes de l'esclavage envers nos corps. (13)

TORCHE

L'âme de l'homme n'est que la partie d'une torche qui brûle et que Dieu a séparée de lui le jour de la Création. (13)

TRÉSOR

La connaissance et la compréhension sont les fidèles compagnons de la vie qui ne vous trahiront jamais. Car la connaissance est votre couronne et la compréhension votre soutien ; et lorsqu'elles vous accompagnent, vous ne pouvez posséder de plus grands trésors. (13)

TRISTESSE

La tristesse est l'ombre d'un Dieu
Qui ne vit pas dans le domaine des
[cœurs méchants. (7)

Si la tristesse pouvait parler
Elle se montrerait plus douce que la
[Joie de la chanson. (7)

Celui qui n'a jamais regardé la Tristesse en face ne verra jamais la Joie. (13)

L'esprit chagrin ne trouve le repos que lorsqu'il s'unit à un esprit semblable à lui. Ils s'accordent affectueusement, comme un étranger est heureux de rencontrer un autre étranger dans un pays étranger. Les cœurs unis par la tristesse ne pourront être séparés par la gloire du bonheur. (1)

Le secret du cœur est enfermé
Dans la tristesse, et ce n'est que dans
[la tristesse
Que nous trouvons notre joie, tandis
[que le bonheur
Ne sert qu'à cacher le profond mystère
[de la Vie. (10)

TROUPEAU

Ne dites pas : « Voici un homme
[instruit »
Ni « Voici un chef plein de dignité ».
Les meilleurs des hommes sont dans
[le troupeau
Et considèrent le berger comme leur
[guide. (3)

UNITÉ

Tout ce qui est dans la création existe en vous, et tout ce qui existe en vous est dans la création. Il n'est pas de frontière entre vous et les choses les plus proches, et il n'y a pas de distance entre vous et les choses les plus éloignées. Et toutes les choses, de la plus basse à la plus élevée, de la plus petite à la plus grande sont en vous dans une complète égalité. Dans un atome, on trouve tous les éléments de la terre ; dans un mouvement de l'esprit se trouvent tous les mouvements des lois de l'existence ; dans une goutte d'eau se trouvent tous les secrets des océans sans fin ; dans un aspect de *vous*, il y a tous les aspects de l'*existence*. (7)

VALEUR

Si vos connaissances ne vous apprennent pas à vous élever au-dessus de la faiblesse et de la misère humaines et à conduire vos semblables sur le bon chemin, vous êtes un homme de peu de valeur et vous le resterez jusqu'au Jour du Jugement. (13)

VÉRITÉ

La vérité est comme les étoiles : elle n'apparaît que dans l'obscurité de la nuit. La vérité est comme toutes les belles choses de ce monde : elle ne révèle son attrait qu'à ceux qui ont senti d'abord l'influence du mensonge. La vérité est une profonde bienveillance qui nous apprend à être satisfaits de notre existence quotidienne et à partager le même bonheur avec les autres. (9)

Celui qui veut chercher la volonté pour la proclamer aux hommes est promis à la souffrance. Mes chagrins m'ont appris à comprendre les chagrins des autres... La persécution... (n'a pas) obscurci ma vision intérieure. (12)

La vérité nous rend visite, conduite par le rire innocent d'un enfant, ou par le baiser d'un être aimé. Mais nous lui fermons au nez les portes de l'affection et nous la traitons en ennemie. (13)

VIE

L'homme lutte pour chercher la vie en dehors de lui sans se rendre compte que ce qu'il cherche est en lui. (7)

La *vie* est une femme qui se baigne dans les larmes de ses amants et qui s'oint du sang de ses victimes. Ses vêtements sont des jours blancs bordés par l'obscurité de la nuit. Elle prend le cœur humain pour amant, mais refuse de l'épouser.

La vie est une enchanteresse
Qui nous séduit par sa beauté.
Mais celui qui connaît ses ruses
Fuira ses enchantements.

Combien de fois ai-je parlé à des professeurs de Harvard en ayant l'impression de parler à un professeur de l'Université Al-Azhar ! Combien de fois ai-je conversé avec des dames de Boston et les ai-je entendu dire la même chose que ce que disaient de simples et ignorantes vieilles femmes de Syrie ! La vie est une, Mikhaïl. Elle se manifeste dans les villages du Liban comme à Boston, New York et San Francisco. (2)

VIE CAMPAGNARDE

Celui qui vit dans l'atmosphère trépidante de la ville ignore tout de la vie des villageois de la montagne. Nous sommes emportés par le courant de l'existence urbaine jusqu'à en oublier les rythmes paisibles d'une simple vie campagnarde, mûre en automne, reposante en hiver et imitant la nature dans tous ses cycles. En or et en argent, nous sommes plus riches que les villageois, mais ils sont plus riches que nous sur le plan spirituel. Ce que nous semons, nous ne le récoltons pas. Eux récoltent ce qu'ils sèment. Nous sommes les esclaves du profit, et eux les enfants de la satisfaction. Ce que nous buvons dans la coupe de la vie est mêlé d'amertume et de désespoir, de crainte et de lassitude. Eux boivent le pur nectar de l'accomplissement de l'existence. (13)

VIEILLESSE

Un vieillard aime retourner en pensée aux jours de sa jeunesse comme un étranger qui désire revenir dans son propre pays. Il aime raconter des histoires du passé comme un poète qui prend plaisir à réciter son meilleur poème. Il vit en esprit dans le passé parce que le présent passe trop vite, et que le futur lui semble le rapprocher de l'oubli du tombeau. (1)

Nombreux sont les hommes qui maudissent venimeusement les jours passés de leur jeunesse ; nombreuses sont les femmes qui exècrent leurs années perdues avec la fureur d'une lionne qui a perdu ses petits ; et nombreux sont les jeunes gens et les jeunes filles qui n'utilisent leurs cœurs que comme fourreaux pour les amers souvenirs du futur, se blessant eux-mêmes, par ignorance, avec les flèches acérées et empoisonnées du refus du bonheur.

La vieillesse est la neige de la terre ; elle doit, par sa lumière et sa vérité, donner sa chaleur aux semences de la jeunesse qui lui succède, pour la protéger et lui faire accomplir ses desseins. (10)

VIERGE

Il n'existe pas de secret plus fort et plus beau dans le mystère de la vie que cet attachement qui transforme le silence d'un esprit virginal en une conscience perpétuelle qui fait oublier le passé, car il allume violemment dans le cœur le doux et irrésistible espoir du futur qui s'avance. (9)

VISAGE

Un regard qui révèle une tension intérieure rend le visage plus beau, quelles que soient la douleur et la tragédie qu'il traduit. Mais le visage qui, dans le silence, ne laisse pas deviner des mystères cachés n'est pas beau, quelle que soit la symétrie de ses traits. La coupe n'attire pas nos lèvres si on ne voit pas la couleur du vin à travers le cristal transparent. (1)

VISION

Nous ne sommes pas tous capables de contempler d'un regard intérieur les grandes profondeurs de la vie, et il est cruel d'exiger de celui qui a la vue basse qu'il distingue ce qui est sombre et ce qui est lointain. (7)

VOIE VERS DIEU

Sans doute nous rapprochons-nous davantage de Lui chaque fois que nous tentons de Le diviser et que nous Le trouvons indivisible. Je dis cependant que l'art, en tirant un trait entre ce qui est beau et ce qui est laid, est la voie qui mène le plus près de Dieu. Mais elle mène au silence et à la réserve. Le silence est plus vrai et plus expressif que la parole ; et l'heure viendra où nous serons silencieux. Mais pourquoi museler nos langues avant que cette heure n'arrive ? Voyez notre ami Lao-Tseu. Il est devenu silencieux, mais quand ? Seulement après avoir donné au monde le levain de sa foi dans les mots. (2)

VOISIN

Lorsque vous parlez de vos ennuis à votre voisin, vous lui offrez une partie de votre cœur. S'il a une grande âme, il vous en remerciera ; s'il a l'âme basse, il vous amoindrira. (4)

VOLONTÉ

Le Droit fait partie de la Volonté. Car
[les âmes
Flottent au vent, de-ci de-là,
Lorsque les forts l'emportent et que
[les faibles
Subissent des changements en bien ou
[en mal.
Aussi ne niez pas la Volonté de l'âme,
Plus forte que la Force du bras.
Les faibles n'occupent que le trône
De ceux qui sont au-delà du bien et
[du mal. (3)

Index des ouvrages cités

1. *Broken Wings* (les Ailes brisées) par Khalil* GIBRAN, dans *Treasury of Kahlil Gibran* (le Trésor de Khalil Gibran) traduit par Anthony R. Ferris, Citadel Press, 1962.
2. *Khalil Gibran, a Biography* (Khalil Gibran, biographie), par Michael NAIMY, dans *The Parables of Gibran* (Les paraboles de Gibran), par Annie Salem Otto, Citadel Press, 1963.
3. *The Procession* (La procession), par Khalil GIBRAN, traduit par George Keirallah, Philosophical Library, 1958.
4. *Mirrors of the Soul, Kahlil Gibran* (Les miroirs de l'âme), par Joseph SHEBAN, Philosophical Library, 1965.
5. Dans la conversation et dans les lettres.
6. *Secrets of the Heart* (Les secrets du cœur), par Khalil GIBRAN dans *The Parables of Gibran* (Les paraboles de Gibran).
7. *Secrets of the Heart* (Les secrets du cœur) par Khalil GIBRAN dans *A Treasury of Kahlil Gibran* (Un trésor de Khalil Gibran), traduit par Anthony Rizcallah Ferris, publié par Martin L. Wolf, Citadel Press, 1947.
8. *Kahlil Gibran: a Self Portrait* (Khalil Gibran un autoportrait), traduit par Anthony R. Ferris dans *The Parables of Gibran* (Les paraboles de Gibran).
9. *Spirits Rebellious* (Les esprits rebelles) par Khalil GIBRAN

---

* Khalil: s'écrit de cette façon en français; les Américains écrivent Kahlil puisque, pour eux, sous cette forme, le nom est plus facile à prononcer.

dans *A Treasury of Kahlil Gibran* (Un trésor de Khalil Gibran).

10. *A Treasury of Kahlil Gibran* (Un trésor de Khalil Gibran).
11. *Tears and Laughter* (Rires et larmes), par Khalil Gibran dans *A Treasury of Kahlil Gibran* (Un trésor de Khalil Gibran).
12. *The Voice of the Master* (La voix du maître) par Khalil Gibran dans *The Parables of Gibran* (Les paraboles de Gibran).
13. *The Words of the Master* (Les paroles du maître) par Khalil Gibran, dans *A second Treasury of Kahlil Gibran* (Un second trésor de Khalil Gibran).

Imprimé au Canada